cuisineminute
by marabout

360 recettes familiales

cuisineminute
by marabout

360 recettes
familiales

Recettes d'Emma Jane Frost

À table en :

10 MINUTES   20 MINUTES   30 MINUTES

Publié pour la première fois en Grande-Bretagne en 2012 par Hamlyn,
département d'Octopus Publishing Group Ltd, sous le titre *Family Meals*.

Recettes d'Emma Jane Frost
Copyright © Octopus Publishing Group Ltd 2012

Copyright © Hachette Livre (Marabout) 2012
pour la traduction et l'adaptation françaises

Traduction et adaptation : Valentine Morizot et Anne-Claire Levaux
Mise en pages : Les PAOistes
Relecture-correction : Clémentine Bougrat
Suivi éditorial : Natacha Kotchetkova

Pour l'éditeur, le principe est d'utiliser des papiers composés de fibres naturelles,
renouvelables, recyclables et fabriquées à partir de bois issus de forêts qui adoptent
un système d'aménagement durable.
En outre, l'éditeur attend de ses fournisseurs de papier qu'ils s'inscrivent dans
une démarche de certification environnementale reconnue.

Vous devez préchauffer le four à la température indiquée. Si vous utilisez un four
à chaleur tournante, respectez les instructions du fabricant pour adapter la durée
et la température de cuisson en conséquence. Le gril du four doit également
être préchauffé.

Cet ouvrage contient des recettes réalisées avec des oléagineux. Les personnes
présentant une allergie aux noix ou autres oléagineux doivent remplacer ces ingrédients.
Les personnes les plus vulnérables, notamment les femmes enceintes ou allaitantes,
les malades, les personnes âgées, les bébés et les jeunes enfants, doivent éviter
de consommer des oléagineux.
Il est également conseillé de lire la composition des produits industriels pour vérifier
s'ils contiennent des traces d'oléagineux.
Certaines de nos recettes contiennent des œufs crus ou à peine cuits. Il est déconseillé
aux personnes les plus vulnérables, notamment les femmes enceintes ou allaitantes,
les malades, les personnes âgées, les bébés et les jeunes enfants, de consommer
des œufs crus ou à peine cuits.

Sommaire

Introduction
30 20 10 – rapide, très rapide, ultrarapide

Ce livre vous permet de découvrir une nouvelle façon
de planifier vos repas et vous propose un classement
original pour choisir une recette en fonction du temps dont
vous disposez pour cuisiner. Vous trouverez ainsi 360 recettes
qui ne manqueront pas de vous inspirer et de vous motiver
pour cuisiner tous les jours. Elles sont toutes réalisables
en 30 minutes au maximum, 20 minutes ou 10 minutes
à peine ! Vous pourrez facilement en essayer une
nouvelle chaque soir et vous vous constituerez
rapidement une liste de recettes variées
et adaptées à vos besoins.

Comment ça marche ?

Les recettes sont classées par temps de préparation
au début de chaque chapitre.

La recette principale est présentée en haut de la page,
accompagnée d'une photo, et deux recettes aux
saveurs comparables sont proposées en dessous,
avec des temps de préparation différents.

Chaque recette de ce livre peut être cuisinée de 3 façons : en 30 minutes, en 20 minutes ou en 10 minutes pour une version ultrarapide. Parcourez les 360 délicieuses recettes, trouvez celle qui vous donne envie et cuisinez la version qui correspond au temps dont vous disposez.

Une recette similaire en moins de temps

Si vous avez apprécié un plat, vous pouvez aussi essayer les variantes proposées. Par exemple, si la Paella au poulet et aux crevettes en 30 minutes vous a plu, mais que vous n'avez que 10 minutes devant vous, vous saurez préparer une recette similaire en moins de temps.

Des saveurs à décliner selon 3 variantes

Si vous aimez les saveurs du Poulet aux cacahuètes et salade mangue-épinards en 10 minutes, pourquoi ne pas essayer une recette plus consistante de Brochettes de poulet à la mangue en 20 minutes ou une version plus élaborée comme le Poulet sauté à la mangue, sauce aux cacahuètes ?

Des suggestions thématiques

Si vous êtes en manque d'inspiration, vous trouverez un aperçu rapide des recettes classées par thèmes pages 12 à 19, par exemple Plats d'hiver ou Spécial week-end.

Dîners en famille faciles et rapides à préparer

Dans la société actuelle, le temps passé en famille est chronométré. Les parents travaillent, les enfants font de plus en plus d'activités extrascolaires, nos vies sont remplies à ras bord d'activités et d'effervescence. Il n'est donc pas surprenant que les ventes de plats préparés des supermarchés aient explosé ces 10 dernières années. Combien de fois nous est-il arrivé de rentrer chez nous le soir, après une journée bien remplie, et de nous retrouver en panne d'inspiration devant le réfrigérateur, à nous demander comment nous allions nourrir toute la famille ? Il est trop facile de faire chauffer un plat préparé de mauvaise qualité au micro-ondes ou de se faire livrer un repas riche en graisses. Avec ce livre, nous voulons vous montrer que vous pouvez préparer un repas délicieux et appétissant pour toute la famille, facilement et rapidement, avec un nombre d'ingrédients restreint.

Que vous soyez un cuisinier expérimenté ou novice, si vous ne prenez pas quelques minutes le matin pour réfléchir à ce que vous allez mijoter pour votre petite famille le soir venu, vous vous retrouverez à 19 heures à perdre du temps, à devoir décongeler des ingrédients ou à faire un saut à la supérette du coin pour acheter ce qui vous manque. Alors que si vous sortez le poisson ou la viande du congélateur avant de partir et que vous préparez une petite liste de courses, vous gagnerez du temps.

L'art de faire plusieurs choses en même temps

Les meilleurs chefs sont capables de préparer 20 ingrédients en même temps, sans perdre leur calme ni le contrôle ! Nous ne vous demanderons pas de faire comme eux, mais seulement d'apprendre à faire plusieurs choses en même temps dans votre cuisine. Par exemple, pour la recette des Rouelles de porc glacées aux abricots (page 92), il faut mettre les pommes de terre à bouillir au début de la recette et, pendant ce temps, commencer la cuisson des autres ingrédients. Ensuite, vous devez terminer la préparation des pommes de terre en même temps que la sauce, pour que tout soit prêt au même moment. Si vous n'arrivez pas à jongler entre les plaques de cuisson, le gril et le four, vous ne pourrez pas cuisiner un plat en moins de 30 minutes. En revanche, si vous suivez les différentes étapes des recettes dans l'ordre, vous serez surpris de la rapidité avec laquelle le dîner se prépare.

Les bons ustensiles

Avec les bons ingrédients et la motivation, il vous faut les bons ustensiles ! Ne sous-estimez pas leur importance ; non seulement ils vous facilitent le travail, mais ils rendent aussi la préparation du repas plus agréable. La sauteuse est indispensable ; sans elle, il vous sera difficile de préparer la plupart de nos recettes. Son fond épais et lourd répartit la chaleur et empêche les ingrédients de brûler.

Les couteaux sont eux aussi essentiels. Un couteau régulièrement aiguisé permet de couper 4 à 5 fois plus vite qu'un couteau émoussé. De même, un ouvre-boîte facile à manier vous fera gagner du temps. La râpe doit être facile à prendre en main et permettre plusieurs découpes différentes ; elle sera ainsi votre alliée plutôt qu'un obstacle. Nous vous conseillons également d'investir dans un robot de qualité. Malaxer une pâte, mixer une soupe, hacher des fruits ou des noix ne vous aura jamais semblé aussi simple. Vous vous demanderez même pourquoi vous n'en aviez pas acheté un plus tôt !

Les ingrédients

De nombreux ingrédients savoureux permettent de préparer des repas succulents et nourrissants, en toute rapidité.

Les œufs sont un ingrédient de choix pour les cuisiniers pressés. Ils se prêtent à d'innombrables recettes et cuisent rapidement. Le secret est de bien les choisir – les œufs bio ou de plein air ont un goût plus prononcé et des couleurs plus denses – et de les mélanger à des ingrédients surprenants qui leur donneront une nouvelle jeunesse. Essayez par exemple la Frittata aux tomates cerises et à la feta (page 24) ou la Tarte oignon-lardons cuite à la poêle (page 90) pour découvrir de nouvelles façons de préparer les œufs.

Les nouilles sont un autre ingrédient facile et rapide à préparer. Vous pouvez les incorporer à une soupe ou à un plat sauté après seulement 3 à 4 minutes de cuisson. Le lait de coco et la coriandre fraîche sont délicieux dans les soupes thaïes ; l'ail, le piment, le gingembre, le 5-épices et la sauce soja sont indispensables pour réussir les plats sautés. Et si vous manquez vraiment de temps, pourquoi ne pas stocker quelques sauces toutes prêtes dans votre placard ? C'est de la triche, direz-vous. Mais une soupe ou un plat sauté de légumes, de nouilles et de viande accommodé avec une sauce toute prête sera toujours meilleur pour votre famille qu'un plat surgelé tout prêt ou livré à domicile, cher et hypercalorique.

Quand vous achetez de la viande comme du bœuf ou de l'agneau, préférez des morceaux comme le steak ou les côtelettes d'agneau, les blancs de poulet ou les cuisses désossées. Les morceaux les moins chers sont souvent plus durs et nécessitent des temps de cuisson plus longs. Si vous achetez du porc, choisissez des morceaux fins et maigres. Coupez la viande très finement pour qu'elle cuise rapidement et reste tendre en bouche.

Si vous en avez le temps, n'hésitez pas à cuisiner des céréales complètes. Sachez toutefois que le riz complet peut demander 30 minutes de cuisson et que les pâtes complètes cuisent toujours un peu moins vite que celles classiques. Nous vous conseillons d'acheter des ingrédients complets « à cuisson rapide ». Pour accélérer la cuisson des pâtes ou du riz, faites chauffer de l'eau dans une bouilloire électrique. Chauffer de l'eau à la casserole vous demanderait 5 bonnes minutes de plus !

Enfin, n'hésitez pas à parcourir le rayon conserves de votre supermarché pour faire le plein d'artichauts grillés, d'olives, de tomates séchées, de poivrons farcis et d'autres légumes à l'huile. C'est un moyen simple de donner du goût et de la couleur à des pâtes, du riz ou des salades et de rendre votre dîner plus intéressant.

Les petits plus

Les plats mijotés en sauce et les rôtis développent leurs saveurs grâce à de longues heures de cuisson. Mais vous ne pouvez pas passer 2 ou 3 heures à préparer le repas... Pour donner un goût aussi intense à des plats cuisinés en moins d'un quart du temps habituel, vous devrez donc utiliser des « parfums » faciles, c'est-à-dire des ingrédients qui parfumeront vos plats instantanément et intensément. Faites le plein de pâte d'ail, de gingembre frais haché ou de purée de citronnelle toute prête. Ayez aussi en réserve toutes sortes d'herbes séchées et d'épices, de la sauce soja, du lait de coco, différentes moutardes, du Tabasco, des cubes de bouillon et du jus de citron. Il est toujours utile d'avoir au réfrigérateur de la viande séchée parfumée, par exemple du chorizo ou du jambon de Parme, des oignons frais, de l'ail, de la feta allégée et des légumes croquants de toutes les couleurs.

Plats d'hiver

Recettes pour les jours froids de l'hiver.

**Velouté de petits pois
au lard fumé et à la menthe** 26

**Velouté de champignons
et croûtons au chèvre** 38

**Velouté de chou-fleur
au fromage** 56

**Poulet aux légumes racines
et au miel** 78

**Saucisses aux pommes
et aux oignons** 86

**Boulettes de dinde
aux herbes et tomates** 114

**Stroganoff
de champignons** 194

**Haricots cannellini
à la tomate et au romarin** 200

**Penne à la courge butternut
et au pesto** 204

**Riz au lait caramélisé
aux framboises** 240

**Crumble
poire-chocolat** 238

Fondants minute 264

5 fruits et légumes par jour

Plats savoureux avec des fruits et légumes de saison.

**Pitas au caviar
d'aubergine** 52

**Poulet aux cacahuètes
et salade mangue-épinards** 72

Agneau et légumes grillés 112

**Risotto au fromage de chèvre
et aux épinards** 198

Curry de légumes thaï 182

**Brochettes de légumes
et riz aux amandes** 192

**Tajine fruité aux pois chiches
et couscous à la coriandre** 208

**Biryani aux légumes
et aux raisins de Smyrne** 212

**Gratin de courge butternut à la
tomate et à l'oignon rouge** 222

Prunes chaudes épicées 244

**Tartelettes
rhubarbe-gingembre** 258

**Quatre-quarts grillé
à la compote de fruits** 262

Spécial week-end

Recettes délicieuses pour se faire plaisir.

Pommes de terre au salami
et au maïs et œufs pochés 36

Sandwichs
aubergine-mozzarella 48

Galettes de maïs
et salsa tomate-piment 50

Œufs à la florentine 54

Filet de bœuf en croûte de
moutarde et frites au four 74

Rouelles de porc glacées
aux abricots 92

Haddock grillé,
purée et œufs pochés 170

Burgers de haricots épicés 184

Dhal au lait de coco
et naans grillés 224

Millefeuilles
chocolat-framboise 234

Cheesecakes
aux fruits rouges 236

Soufflés au chocolat
et glace à la pistache 250

Repas équilibrés

Petits plats légers pour toute la famille.

Soupe de poulet à la thaïe 46

Poulet grillé et couscous aux raisins 64

Porc sucré-salé à l'ananas 66

Brochettes de bœuf à l'asiatique 110

Poulet poché à la sauce au curry rouge 124

Noix de Saint-Jacques aux poireaux 144

Crevettes sautées au citron et au brocolini 154

Cabillaud sauté au lard fumé et aux tomates cerises 172

Brochettes de saumon au miel et au piment 174

Salade gourmande de cresson 188

Lentilles du Puy et pain à l'ail 226

Crumbles à l'avoine et aux fruits du verger 254

Les chouchous des enfants

Succès garanti.

Fusillis crémeux au jambon et à la moutarde 42

Minipizzas artichauts-olives-taleggio 58

Saucisses et haricots au romarin 70

Burgers aux champignons et salsa de concombre 98

Beignets de cabillaud, mayonnaise au citron vert 136

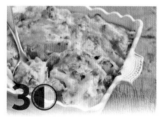

Gratin de pâtes au thon, courge et petits pois 142

Cabillaud et pommes de terre, mayonnaise citron-aneth 160

Croquettes de thon au fromage et au maïs 164

Pâtes aux légumes grillés 186

Coupes banoffee 252

Coulant au chocolat et sauce au cacao 266

Bananes au caramel 276

Plats uniques

Un seul ustensile pour de bons petits plats.

**Frittata aux tomates cerises
et à la feta** 24

**Soupe de coco aux épinards
et à la courge butternut** 34

**Riz frit au lard fumé
et aux petits pois** 84

**Tarte oignon-lardons
cuite à la poêle** 90

**Curry d'agneau
et pommes de terre** 96

**Paella au poulet
et aux crevettes** 106

**Rouelles glacées
aux oignons caramelisés** 118

**Saumon
aux légumes verts** 132

**Frittata au saumon
et aux épices** 166

**Dhal de lentilles corail
aux légumes** 216

**Curry de chou-fleur
et de pommes de terre** 220

**Dhal au lait de coco
et naans grillés** 224

Repas de fête

Pour les grandes réunions de famille ou les dîners entre amis.

Cuisses de poulet
à la crème et au citron 88

Blancs de poulet
façon coq au vin 94

Canard sauté, pois gourmands
et riz à l'orange 102

Filet d'agneau, sauce
champignons-épinards 104

Escalopes de porc
au prosciutto 116

Lotte au pesto en robe
de jambon de Parme 138

Petits gratins d'aiglefin
à la crème 150

Cabillaud et risotto aux olives
noires et aux tomates 176

Gratin feuilleté aux épinards,
aux pignons et au fromage 210

Crème de chocolat blanc
aux framboises 242

Tarte Tatin à la poire 268

Tiramisu aux fraises 278

Saveurs d'été

Recettes riches en fruits et en légumes frais.

**Beignets de calamars
à la sauce pimentée** 40

**Frittata au brie, aux poivrons
et aux épinards** 44

**Burgers de poulet
à l'estragon** 68

**Jambalaya de poulet
et chorizo au poivron** 76

**Poulet cajun et quinoa
aux abricots secs** 100

**Aiglefin en croûte de parmesan
et salsa tomates-avocat** 130

**Saumon à la jamaïcaine
au maïs et aux gombos** 156

**Spaghettis aux fruits de mer,
à l'ail et aux tomates** 162

**Halloumi grillé et salade
de couscous chaude** 202

**Trifles aux fraises
et à la crème** 270

**Abricots à la crème de citron
et amarettis** 246

**Ananas chaud
rhum-raisins** 256

Sur le pouce

Recettes par temps de préparation

10 MINUTES

20 MINUTES

Frittata aux tomates cerises et à la feta

Pour 4 personnes

3 c. à s. d'huile d'olive

1 poivron rouge épépiné
et coupé en morceaux

1 oignon rouge haché

175 g de tomates cerises
coupées en deux

6 œufs

200 g de feta égouttée
et émiettée

1 poignée de feuilles de roquette

sel et poivre

- Dans une poêle de 23 cm de diamètre allant au four, faites chauffer 2 cuillerées à soupe d'huile d'olive, puis faites revenir 5 minutes le poivron rouge et l'oignon à feu moyen, en remuant de temps en temps. Ajoutez les tomates et poursuivez la cuisson 2 minutes, en remuant.

- Battez les œufs dans un saladier, salez et poivrez, puis versez l'appareil dans la poêle, sur la préparation de légumes. Parsemez de feta et faites cuire 4 à 5 minutes à feu doux, jusqu'à ce que la base de la frittata ait pris.

- Mettez la poêle sous le gril du four préchauffé à puissance moyenne et faites griller 3 à 4 minutes. Retirez du four, garnissez le centre de roquette et poivrez bien au moulin. Arrosez du reste de l'huile d'olive, coupez en quatre et servez.

10 MINUTES

Salade de tomates cerises à la feta Dans un saladier, mélangez 1 poivron rouge épépiné et coupé en morceaux, 1 oignon rouge haché, 175 g de tomates cerises coupées en deux, 200 g de feta émiettée, 100 g d'olives noires dénoyautées et 75 g de feuilles de roquette. Fouettez le jus de 1 citron, 4 c. à s. d'huile d'olive et 2 c. à s. de persil dans un bol, arrosez la salade de cette sauce, puis servez.

30 MINUTES

Frittata tomates cerises et chorizo Faites chauffer 1 c. à s. d'huile d'olive dans une poêle de 23 cm de diamètre allant au four et, à feu moyen, faites griller 8 à 10 minutes 4 saucisses de porc de type chorizo, en les retournant fréquemment. Détaillez-les en tranches hors de la poêle. À feu moyen, faites chauffer 2 c. à s. d'huile d'olive dans la même poêle et faites revenir 1 poivron rouge épépiné et 1 oignon rouge haché pendant 5 minutes, en remuant de temps en temps. Ajoutez les rondelles de saucisse et 175 g de tomates cerises coupées en deux, et poursuivez la cuisson 2 minutes. Battez 6 œufs dans un saladier, salez et poivrez, puis versez l'appareil dans la poêle. Faites cuire la frittata 4 à 5 minutes à feu doux, jusqu'à ce que le dessous ait pris. Mettez la poêle sous le gril préchauffé à puissance moyenne et laissez dorer 3 à 4 minutes.

Velouté de petits pois au lard fumé et à la menthe

Pour 4 personnes

2 c. à s. d'huile d'olive

1 oignon rouge grossièrement haché

6 tranches de lard fumé sans couenne coupées en petits morceaux

4 c. à s. de menthe hachée

250 g de pommes de terre pelées et coupées en morceaux

500 g de petits pois surgelés

1,2 litre de bouillon de poulet

4 c. à s. de crème fraîche

sel et poivre

mélange de graines de courge et de tournesol pour servir

- Faites chauffer l'huile d'olive dans une grande cocotte à fond épais et, à feu moyen, faites dorer l'oignon et le lard pendant 5 minutes, en remuant fréquemment. Ajoutez la menthe et les pommes de terre, poursuivez la cuisson 1 minute, puis ajoutez les petits pois et le bouillon. Portez à ébullition, réduisez le feu, couvrez et laissez mijoter 15 minutes, jusqu'à ce que les pommes de terre soient tendres.

- Mixez la soupe au robot en 2 fois. Remettez-la dans la cocotte, incorporez la crème fraîche et poursuivez la cuisson 1 minute.

- Salez et poivrez légèrement. Servez la soupe dans des bols, parsemée de graines.

10 MINUTES

Soupe de petits pois à la pancetta et croûtons Faites chauffer 600 ml de soupe de petits pois du commerce dans une casserole. Pendant ce temps, coupez 100 g de pancetta en petites lanières. Faites chauffer 1 c. à s. d'huile d'olive dans une poêle et faites griller 1 poignée de dés de fougasse, à feu vif. Servez la soupe dans des bols chauds, garnie de pancetta et de croûtons.

20 MINUTES

Soupe de petits pois et toasts feta-pesto Faites chauffer 2 c. à s. d'huile d'olive dans une cocotte, puis faites dorer 1 oignon et 1 gousse d'ail hachés pendant 5 minutes à feu moyen, en remuant fréquemment. Ajoutez 500 g de petits pois surgelés et 1,2 litre de bouillon de poulet. Portez à ébullition puis laissez mijoter 5 minutes. Mixez la soupe au robot en 2 fois. Remettez-la dans la cocotte, incorporez 4 c. à s. de crème fraîche, assaisonnez et poursuivez la cuisson 1 minute. Pendant ce temps, faites griller 8 tranches de pain de campagne sous le gril du four chaud, d'un côté seulement. Garnissez les côtés non grillés de 200 g de feta émiettée et de 2 c. à s. de pesto. Faites à nouveau griller les toasts, pendant 3 minutes. Servez la soupe dans des bols chauds, accompagnée de 2 toasts par personne.

30 MINUTES

Quartiers de patate douce à l'indienne et raïta

Pour 4 personnes

2 c. à c. de graines de cumin
2 c. à c. de graines de coriandre
½ c. à c. de graines de fenugrec
2 c. à s. d'huile de tournesol
600 g de patates douces
   coupées en quartiers
¼ de c. à c. de flocons
   de piment séché
sel et poivre

Pour le raïta

200 ml de yaourt à la grecque
4 c. à s. de menthe hachée
¼ de concombre coupé
   en petits dés

• Faites griller les épices dans une poêle à fond épais, 1 minute à feu vif, en secouant la poêle régulièrement. Broyez-les finement dans un mortier puis mélangez-les avec l'huile. Dans un grand saladier, enrobez les quartiers de patate douce de cette préparation.

• Rangez les morceaux de patate douce dans un grand plat à rôtir, salez et poivrez, puis saupoudrez de flocons de piment. Faites cuire au four préchauffé à 200 °C, pendant 20 minutes. Pendant ce temps, mélangez les ingrédients du raïta dans un bol.

• Sortez les morceaux de patate douce du four et servez-les, accompagnés de raïta.

10 MINUTES

Chips de patate douce Dans un grand faitout, faites chauffer 300 ml d'huile végétale à 180 à 190 °C (un dé de pain doit dorer en 30 secondes). À l'aide d'une mandoline ou d'un couteau économe, coupez 2 patates douces pelées en tranches très fines. Faites-les frire par petites quantités, 1 à 2 minutes chaque fois. Retirez-les à l'aide d'une écumoire et déposez-les sur du papier absorbant. Saupoudrez les chips de sel de mer et de graines de cumin. Servez avec du raïta et des légumes crus en morceaux.

20 MINUTES

Grillade de patate douce et de courge à l'indienne
Dans un saladier, mélangez 350 g de dés de courge butternut et de patate douce avec 2 c. à s. de pâte de curry korma et 2 c. à s. de yaourt nature. Disposez le tout dans un grand plat à rôtir que vous mettrez pour 15 minutes au four préchauffé à 220 °C. Pendant ce temps, préparez le raïta (voir ci-dessus). Servez-le avec les légumes grillés.

10 MINUTES

Omelette au saumon fumé et au fromage frais

Pour 4 personnes

2 c. à s. d'huile végétale
6 œufs battus
200 g de fromage frais
1 c. à s. d'eau froide
100 g de saumon fumé
   coupé en lanières
3 c. à s. de ciboulette ciselée
sel et poivre
quelques feuilles de salade
   pour servir (facultatif)

- Faites chauffer l'huile dans une grande poêle à fond épais. Salez et poivrez les œufs battus, versez-les dans la poêle et faites cuire 4 à 5 minutes à feu doux, jusqu'à ce que le dessous ait légèrement pris.

- Pendant ce temps, battez le fromage frais et l'eau dans un saladier jusqu'à obtention d'une crème souple.

- Étalez cette crème sur l'omelette. Ajoutez les lanières de saumon fumé puis la ciboulette, et poursuivez la cuisson 1 minute de plus, jusqu'à ce que les ingrédients soient bien chauds.

- Pliez l'omelette en deux, puis coupez-la en 4 parts. Servez avec quelques feuilles de salade, si vous le souhaitez.

20 MINUTES

Minisoufflés au saumon fumé et à la ciboulette Faites fondre 15 g de beurre dans une casserole, ajoutez 15 g de farine ordinaire et laissez cuire quelques secondes à feu moyen, en remuant. Hors du feu, ajoutez 150 ml de lait par petites quantités, en remuant. Remettez sur le feu puis, en remuant constamment, portez à ébullition et laissez cuire jusqu'à épaississement. Incorporez 50 g de saumon fumé coupé en lanières et 1 c. à s. de ciboulette ciselée, salez et poivrez. Fouettez 2 œufs dans un saladier jusqu'à ce qu'ils forment des pics, puis incorporez-les délicatement à l'appareil. Répartissez le tout dans 4 ramequins, déposez-les sur une plaque de cuisson et faites-les cuire 10 minutes au four préchauffé à 200 °C. Servez immédiatement.

30 MINUTES

Bouchées de saumon fumé aux petits pois et à l'aneth Dans un saladier, battez 6 œufs avec 4 c. à s. d'aneth ciselé. Poivrez généreusement. Incorporez 100 g de saumon fumé coupé en petites lanières et 100 g de petits pois surgelés, puis versez le tout dans un moule carré de 20 cm de côté, légèrement huilé. Faites cuire 20 à 25 minutes au four préchauffé à 200 °C. Coupez en petits carrés, puis servez.

Bœuf sauté aux légumes et au piment

30 MINUTES

Pour 4 personnes

huile végétale

2 œufs

2 c. à s. de fécule de maïs

1 steak de bœuf de 300 g détaillé en fines lanières

2 carottes pelées et taillées en julienne

1 botte d'oignons de printemps, coupés en petits tronçons

100 g de pois gourmands coupés en deux

1 piment rouge émincé

2 c. à s. de sucre en poudre

4 c. à s. de vinaigre de riz

4 c. à s. de sauce pimentée sucrée

1 c. à s. de sauce soja claire

- Faites chauffer un grand faitout rempli au quart d'huile végétale, jusqu'à ce que la température atteigne 180 à 190 °C (un dé de pain doit dorer en 30 secondes). Pendant ce temps, battez les œufs et la fécule de maïs dans un grand bol, puis incorporez les lanières de bœuf, de sorte à bien les enrober.

- Faites frire les lanières de viande pendant 5 minutes, en 2 fois, en les maintenant immergées avec une écumoire et en remuant toutes les 10 secondes pour les empêcher de coller. Retirez-les avec l'écumoire et déposez-les sur du papier absorbant.

- Faites chauffer 1 cuillerée à soupe d'huile dans un wok ou une poêle sur feu vif, puis faites sauter 2 à 3 minutes les carottes, les oignons de printemps, les pois gourmands et le piment. Incorporez le sucre, le vinaigre de riz et les sauces, et poursuivez la cuisson 1 minute. Incorporez le bœuf et servez aussitôt.

---

10 MINUTES

Bœuf sauté au poivron rouge et au piment Détaillez 1 steak de bœuf de 300 g en fines lanières. Faites chauffer 1 c. à s. d'huile de sésame dans un wok ou une poêle, puis faites revenir 3 minutes la viande, 1 piment rouge haché et 1 poivron rouge épépiné et taillé en allumettes. Ajoutez 2 c. à s. de sauce d'huître et prolongez la cuisson de 1 minute. Servez sur du riz nature, parsemé de ciboulette.

20 MINUTES

Bœuf sauté au piment et au brocoli Coupez 300 g de faux-filet en fines lanières, puis enrobez-les de 3 c. à s. de fécule de maïs. Faites chauffer 4 c. à s. d'huile de sésame et 2 c. à s. d'huile végétale dans un wok ou une poêle à fond épais et saisissez la viande 3 à 4 minutes à feu vif. Retirez-la du wok avec une écumoire. Ajoutez 1 gros brocoli en bouquets, 1 grosse carotte en bâtonnets, 2 gousses d'ail émincées, 2 c. à c. de gingembre frais pelé et haché, et ½ c. à c. de flocons de piment séché. Faites sauter le tout 3 à 4 minutes. Ajoutez 4 c. à s. de sauce soja claire mélangée avec 2 c. à s. de sucre et 2 c. à s. de sauce pimentée sucrée, remuez bien et laissez cuire 1 minute de plus. Remettez la viande dans le wok et ajoutez 1 botte d'oignons de printemps, hachés. Servez avec du riz long grain précuit réchauffé selon les instructions de l'emballage.

20 MINUTES

Soupe de coco aux épinards et à la courge butternut

Pour 4 personnes

1 c. à s. d'huile végétale
1 oignon finement haché
500 g de courge butternut pelée,
  épépinée et coupée en dés
1 petit piment rouge
  finement haché
1 c. à c. de coriandre moulue
400 ml de lait de coco
  en conserve
600 ml de bouillon de poulet
  ou de légumes
300 g de feuilles d'épinard
quelques naans chauds

· Faites chauffer l'huile dans une grande casserole à fond épais et, à feu assez vif, faites revenir l'oignon, la courge et le piment pendant 8 minutes, en remuant fréquemment. Ajoutez la coriandre, poursuivez la cuisson quelques secondes en remuant, puis versez le lait de coco ainsi que le bouillon et portez à ébullition. Réduisez le feu et laissez mijoter 10 minutes.

· Incorporez les feuilles d'épinard et prolongez la cuisson de 1 minute, jusqu'à ce qu'elles soient légèrement ramollies. Servez la soupe dans des bols chauds, accompagnée de naans chauds.

10 MINUTES

Soupe de coco minute à la créole À feu moyen, faites chauffer 1 c. à s. d'huile végétale dans une cocotte et faites revenir 1 oignon rouge haché 3 minutes. Ajoutez 1 c. à c. de coriandre moulue et ½ c. à c. de paprika fumé, et remuez quelques secondes. Versez 400 ml de lait de coco et 600 ml de bouillon de poulet ou de légumes, puis portez à ébullition. Ajoutez 400 g de haricots rouges en conserve et 300 g de feuilles d'épinard, et laissez mijoter 5 minutes. Servez avec du pain au maïs.

30 MINUTES

Soupe de nouilles au poulet et à la courge butternut À feu assez vif, faites chauffer 1 c. à s. d'huile végétale dans une cocotte et faites revenir 250 g de poulet haché pendant 5 minutes, en remuant bien pour l'émietter. Ajoutez 1 oignon haché, 500 g de courge butternut pelée, épépinée et coupée en gros dés, 1 petit piment rouge finement haché et 2,5 cm de gingembre frais, pelé et râpé. Poursuivez la cuisson 8 minutes, en remuant fréquemment. Ajoutez 1 c. à c. de coriandre moulue, laissez cuire quelques secondes en remuant, puis versez 400 ml de lait de coco en conserve et 600 ml de bouillon de poulet. Amenez à ébullition, puis laissez mijoter 10 minutes, en ajoutant 300 g de nouilles de riz thaïes 3 minutes avant la fin de la cuisson. Servez immédiatement.

 **MINUTES**

Pommes de terre au salami et au maïs et œufs pochés

Pour 4 personnes

500 g de pommes de terre
coupées en quartiers

2 c. à s. d'huile d'olive

1 oignon rouge grossièrement
haché

1 c. à c. de paprika fumé

1 morceau de 175 g de salami
coupé en dés

100 g de grains de maïs
en conserve

6 c. à s. de persil haché

4 œufs

sel

- Faites cuire les pommes de terre 5 minutes dans une casserole d'eau bouillante salée, puis égouttez-les. Pendant ce temps, à feu moyen, faites chauffer l'huile d'olive dans une poêle à fond épais et faites blondir l'oignon 5 minutes, en remuant.

- Ajoutez le paprika et les pommes de terre, mélangez bien, puis laissez dorer le tout 5 minutes de plus, en remuant. Incorporez le salami et le maïs, poursuivez la cuisson 3 à 4 minutes en remuant, puis ajoutez le persil. Mélangez bien et tassez légèrement la préparation. Réduisez le feu, couvrez et laissez mijoter 2 à 3 minutes.

- Pendant la cuisson, portez à ébullition une casserole à moitié remplie d'eau. Cassez les œufs dans l'eau, 2 par 2, et laissez-les cuire 2 minutes, jusqu'à ce que le blanc soit à peine ferme. Retirez-les avec une écumoire.

- Dressez sur des assiettes chaudes et déposez 1 œuf sur chaque part.

 **MINUTES**

Rösti au salami et œufs pochés Émiettez 400 g de rösti de pommes de terre déjà prêt dans un saladier. Ajoutez 75 g de salami en lanières, 1 oignon râpé, 25 g de beurre fondu et un peu de thym. Salez, poivrez et mélangez bien. Versez la préparation dans une poêle chaude et tassez-la avec une spatule, puis laissez-la cuire 4 minutes à feu vif de chaque côté. Pendant ce temps, pochez 4 œufs comme ci-dessus. Servez-les sur le rösti.

MINUTES

Pommes de terre salami-poivron et œufs moulés
Dans une casserole, faites cuire 300 g de pommes de terre nouvelles émincées pendant 5 minutes, puis égouttez-les. Pendant ce temps, à feu moyen, faites chauffer 2 c. à s. d'huile d'olive dans une poêle et faites blondir 1 oignon haché pendant 3 minutes, en remuant. Ajoutez les pommes de terre et ½ c. à c. de flocons de piment, puis faites dorer 4 minutes, en remuant. Ajoutez 175 g de salami coupé en dés et 100 g de petits morceaux de poivron rouge grillé du commerce. Mélangez bien, tassez la préparation et poursuivez la cuisson 3 minutes. Parsemez le tout de 1 poignée de ciboulette ciselée. Formez 4 trous dans la préparation et cassez 1 œuf dans chaque trou. Laissez cuire 4 minutes. Posez la poêle sur la table et servez.

Velouté de champignons et croûtons au chèvre

Pour 4 personnes

3 c. à s. d'huile d'olive

1 oignon haché

500 g de champignons de Paris
parés et coupés en morceaux

2 c. à s. de thym + un peu
pour décorer

600 ml de bouillon de poulet
ou de légumes

2 c. à s. + 1 c. à c. de moutarde
de Dijon

200 ml de crème fraîche

8 tranches de baguette grillées

8 fines tranches de fromage
de chèvre

sel et poivre

- Faites chauffer l'huile d'olive dans une cocotte et faites revenir l'oignon 3 minutes à feu moyen, en remuant de temps en temps. Ajoutez les champignons et le thym et poursuivez la cuisson 5 minutes, en remuant de temps en temps, jusqu'à ce que les champignons soient tendres. Versez le bouillon, ajoutez 2 cuillerées à soupe de moutarde et portez à ébullition. Réduisez le feu et laissez mijoter 5 minutes.

- Mixez la soupe au robot jusqu'à obtention d'un potage presque lisse, remettez-la dans la cocotte, ajoutez la crème fraîche, salez et poivrez généreusement, puis laissez cuire 1 minute de plus.

- Tartinez le reste de la moutarde sur les tranches de pain, garnissez-les de tranches de fromage de chèvre et faites dorer les croûtons 1 à 2 minutes sous le gril.

- Servez la soupe dans des bols chauds, déposez les croûtons à la surface et décorez de thym.

---

10 MINUTES

Toasts de ciabatta aux champignons et au thym

À feu moyen, faites chauffer 3 c. à s. d'huile d'olive dans une cocotte et faites revenir 1 oignon haché pendant 3 minutes, en remuant de temps en temps. Ajoutez 500 g de champignons de Paris parés et coupés en morceaux, et 2 c. à s. de thym. Faites cuire le tout 5 minutes, en remuant de temps en temps, jusqu'à ce que les champignons soient tendres. Incorporez 2 c. à s. de moutarde à l'ancienne et 200 ml de crème fraîche. Faites griller 4 grosses tranches de ciabatta sous le gril du four, déposez ¼ de la préparation aux champignons sur chaque toast et décorez de thym.

30 MINUTES

Velouté forestier au thym

Laissez tremper 30 g de champignons séchés dans 600 ml d'eau bouillante pendant 10 minutes, puis égouttez-les. Suivez la recette ci-dessus, en remplaçant le bouillon par l'eau de trempage des champignons et en incorporant les champignons réhydratés hachés au même moment que les champignons frais.

30 MINUTES

Beignets de calamars à la sauce pimentée

Pour 4 personnes

huile de friture végétale

500 g d'anneaux de calamar frais
ou décongelés

75 g de farine de maïs

2 œufs

le zeste râpé et le jus
de 1 citron vert

2 c. à s. de coriandre ciselée
+ un peu pour décorer

8 c. à s. de sauce pimentée
sucrée

quartiers de citron vert

sel et poivre

· Faites chauffer une grande cocotte remplie au tiers d'huile végétale jusqu'à 180 à 190 °C (un dé de pain doit y dorer en 30 secondes).

· Égouttez bien les calamars. Versez la farine de maïs sur une assiette, salez et poivrez. Roulez les calamars dans cette préparation pour bien les napper et déposez-les sur une autre assiette.

· Battez les œufs dans un saladier, ajoutez le zeste de citron vert et la coriandre, battez de nouveau, puis incorporez 2 cuillerées à soupe de farine de maïs. Plongez les anneaux de calamar dans la préparation de sorte à bien les napper, puis faites-les frire 3 à 4 minutes, en 2 ou 3 fois. Retirez-les à l'aide d'une écumoire, puis déposez-les sur du papier absorbant. Pendant ce temps, mélangez le jus de citron vert et la sauce pimentée sucrée dans un bol.

· Servez les beignets de calamars chauds, parsemés de coriandre et accompagnés de quartiers de citron vert et de sauce.

10 MINUTES

Calamars à l'ail et au citron
À feu très vif, faites fondre 15 g de beurre avec 2 c. à s. d'huile d'olive dans une poêle et, en remuant, faites revenir 1 gousse d'ail émincée avec 500 g de calamars en anneaux, frais ou décongelés, pendant 5 minutes, jusqu'à ce que les calamars soient bien chauds et légèrement grillés. Incorporez le jus et le zeste râpé de 1 citron. Poivrez généreusement, parsemez de 4 c. à s. de persil ciselé, puis servez.

20 MINUTES

Beignets de crevettes épicés au citron Mélangez 125 g de chapelure fraîche, ½ c. à c. de flocons de piment séché, 3 c. à c. de cumin moulu, le zeste finement râpé de 1 citron vert, ½ c. à c. de sel et ½ c. à c. de poivre. Étalez cette préparation sur une assiette. Roulez 20 grosses crevettes crues décortiquées, mais avec la queue, sur une assiette contenant 2 c. à s. de farine, plongez-les ensuite dans un bol contenant 1 œuf battu, puis enrobez-les de la préparation à la chapelure. Faites chauffer une sauteuse emplie d'huile végétale à 3,5 cm de hauteur, jusqu'à ce que la température atteigne 180 à 190 °C (un dé de pain doit dorer en 30 secondes). Faites frire les crevettes 2 minutes, en plusieurs fois. Retirez-les à l'aide d'une écumoire puis déposez-les sur du papier absorbant. Servez-les avec un bol de mayonnaise mélangée avec le jus de 1 citron vert et 1 poignée de coriandre ciselée.

Fusillis crémeux au jambon et à la moutarde

Pour 4 personnes

375 g de fusillis
1 c. à s. d'huile d'olive
25 g de beurre
1 oignon émincé
25 g de farine ordinaire
300 ml de lait
1 c. à s. de moutarde à l'ancienne
1 c. à c. de moutarde de Dijon
200 ml de crème fraîche
250 g de jambon blanc
   coupé en fines lanières
4 c. à s. de persil haché
poivre
salade de roquette (facultatif)

- Portez une grande casserole d'eau salée à ébullition et faites cuire les fusillis 10 à 12 minutes. Égouttez-les, remettez-les dans la casserole et ajoutez l'huile d'olive.

- Pendant ce temps, faites fondre le beurre dans une cocotte et, à feu moyen, faites blondir l'oignon 5 minutes, en remuant de temps en temps. Ajoutez la farine et prolongez la cuisson quelques secondes en remuant. Hors du feu, ajoutez le lait par petites quantités, en mélangeant bien avant chaque ajout. Portez à ébullition et, en remuant constamment, laissez cuire jusqu'à épaississement.

- Incorporez les moutardes, la crème fraîche, le jambon et le persil, et poursuivez la cuisson 1 minute (la sauce doit être très chaude, mais elle ne doit pas bouillir). Ajoutez les pâtes et poivrez.

- Servez dans des assiettes creuses, avec une salade de roquette.

10 MINUTES

Pâtes express jambon-moutarde Portez une grande casserole d'eau salée à ébullition et faites cuire 500 g de linguine frais environ 3 minutes. Égouttez-les et remettez-les dans la casserole. Ajoutez 250 g de jambon blanc coupé en fines lanières, 1 c. à s. de moutarde à l'ancienne, 1 c. à c. de moutarde de Dijon, 4 c. à s. de persil haché et 150 ml de crème fraîche épaisse, mélangez et servez.

30 MINUTES

Gratin de fusillis Préparez les fusillis comme ci-dessus. À la fin de la troisième étape, mettez-les dans un plat à gratin, recouvrez-les des rondelles de 3 grosses tomates cœur-de-bœuf, puis parsemez le tout de 50 g de gruyère râpé. Faites gratiner 7 minutes sous le gril du four préchauffé à puissance moyenne.

20 MINUTES

Frittata au brie, aux poivrons et aux épinards

Pour 4 à 6 personnes

3 c. à s. d'huile d'olive
1 oignon rouge émincé
200 g de pousses d'épinard
8 œufs
100 g de poivrons piquillos
   en conserve, égouttés
   et coupés en morceaux
175 g de brie coupé en morceaux
sel et poivre
salade verte (facultatif)

- À feu moyen, faites chauffer l'huile d'olive dans une poêle de 25 cm de diamètre allant au four et faites blondir l'oignon 5 minutes, en remuant de temps en temps. Ajoutez les épinards et prolongez la cuisson 1 minute en remuant. Retirez du feu.

- Battez les œufs dans un saladier, salez et poivrez, puis versez l'appareil dans la poêle, sur les épinards.

- Répartissez les morceaux de poivron et de brie sur la frittata et laissez-les s'enfoncer. Faites cuire la frittata 3 à 5 minutes à feu doux, jusqu'à ce que le dessous ait pris.

- Mettez la poêle sous le gril préchauffé à puissance moyenne et faites dorer 3 à 4 minutes. Coupez la frittata en 4 ou 6 parts et servez avec une salade verte.

10 MINUTES

Omelette au brie et au lard fumé Faites chauffer ½ c. à s. d'huile d'olive dans une poêle. Coupez 6 tranches de lard fumé sans couenne en petites lanières et faites-les griller 3 minutes à feu vif, en remuant. Battez 4 œufs, assaisonnez-les et versez-les dans la poêle. Faites cuire 1 minute, puis ajoutez 100 g de poivrons piquillos égouttés et coupés en morceaux, 1 c. à s. de ciboulette hachée et 100 g de petits morceaux de brie. Poursuivez la cuisson 4 à 5 minutes. Servez avec de la baguette et du beurre bien frais.

30 MINUTES

Tortilla aux poivrons et aux petits pois Faites chauffer 1 c. à s. d'huile d'olive dans une poêle allant au four et, à feu moyen, faites revenir pendant 5 minutes 1 oignon haché et 100 g de poivrons piquillos égouttés et coupés en morceaux, en remuant de temps en temps. Ajoutez 1 gousse d'ail écrasée, 1 boîte de 400 g de haricots de Lima égouttés et 2 c. à s. de petits pois surgelés, et faites cuire le tout 3 minutes en remuant. Battez 6 œufs dans un saladier, assaisonnez-les et versez-les dans la poêle, sur les légumes. Parsemez 1 c. à s. de persil ciselé et poursuivez la cuisson 5 minutes à feu doux. Mettez la poêle sous le gril préchauffé à puissance moyenne et faites dorer 3 à 4 minutes. Laissez refroidir 2 minutes, puis coupez l'omelette en parts et servez.

10 MINUTES

Soupe de poulet à la thaïe

Pour 4 personnes

800 ml de lait de coco allégé en conserve

125 ml de bouillon de poulet chaud

1 c. à s. de pâte de curry rouge thaïe

2 blancs de poulet d'environ 175 g chacun, coupés en fines lamelles

200 g de pois mange-tout

200 g de pousses de haricot mungo

- Mettez le lait de coco, le bouillon de poulet et la pâte de curry dans une grande casserole et portez à ébullition.

- Ajoutez les lamelles de poulet, faites cuire 2 minutes, puis ajoutez les pois mange-tout et les pousses de haricot mungo, et poursuivez la cuisson 5 minutes, jusqu'à ce que le poulet soit bien cuit.

- Servez dans des bols chauds.

20 MINUTES

Curry vert à la thaïe Faites chauffer 2 c. à s. d'huile végétale dans un wok ou une sauteuse, ajoutez 1 bâton de citronnelle grossièrement haché, 1 cm de gingembre frais, pelé et grossièrement haché, et 4 blancs de poulet d'environ 150 g chacun, coupés en lamelles. Faites sauter 5 minutes en remuant bien. Ajoutez 200 g de pois mange-tout, 1 poivron rouge épépiné et coupé en morceaux, et 200 g de pousses de haricot mungo. Poursuivez la cuisson 2 à 3 minutes à feu vif. Mixez 1 c. à s. de pâte de curry vert avec 6 c. à s. de lait de coco, versez la préparation dans le wok et laissez cuire 2 minutes de plus, en remuant.

30 MINUTES

Curry vert de poulet aux pois mange-tout Dans une cocotte, portez à ébullition 800 ml de lait de coco, 1 bâton de citronnelle haché, 2,5 cm de gingembre frais, pelé et haché, 2 feuilles de kaffir fraîches en lanières, 1 c. à s. de pâte de curry vert thaïe, 4 blancs de poulet de 150 g chacun, coupés en dés, 100 g de pois mange-tout et 2 poivrons rouges épépinés et coupés en lanières. Laissez mijoter 15 à 20 minutes. Mélangez 2 c. à s. de fécule de maïs avec 2 c. à s. d'eau froide. Hors du feu, incorporez la pâte de fécule de maïs. Remettez sur le feu, portez à ébullition et laissez cuire jusqu'à épaississement, en remuant. Ajoutez 8 c. à s. de coriandre ciselée et servez.

30 MINUTES

Sandwichs aubergine-mozzarella

Pour 4 personnes

4 œufs
8 tranches de pain aux graines
2 c. à s. d'huile végétale
4 c. à s. d'huile d'olive
1 aubergine parée et coupée
   en fines rondelles
150 g de mozzarella égouttée
   et coupée en 12 tranches fines
1 poignée de feuilles d'épinard
4 c. à s. de pesto rouge
sel et poivre

- Battez les œufs dans une assiette creuse, salez et poivrez. Plongez les tranches de pain dans l'œuf battu, en les enrobant bien des 2 côtés. Faites chauffer l'huile végétale dans une grande poêle et, à feu moyen, faites griller le pain en plusieurs fois, 30 secondes à 1 minute de chaque côté. Retirez les tranches et empilez-les pour qu'elles restent chaudes.

- Faites chauffer l'huile d'olive dans la poêle et, à feu moyen, faites dorer les rondelles d'aubergine 5 à 6 minutes, en les retournant 1 fois. Retirez-les du feu et gardez-les au chaud.

- Pour préparer les sandwichs, répartissez les rondelles d'aubergine sur 4 tranches de pain, ajoutez les tranches de mozzarella, puis quelques feuilles d'épinard. Tartinez les autres tranches de pain de pesto et déposez-les sur les 4 sandwichs, côté pesto vers le bas. Pressez les sandwichs, remettez-les dans la poêle et faites-les chauffer 2 minutes à feu doux, en les retournant 1 fois. Coupez chaque sandwich en diagonale et servez chaud.

10 MINUTES

Sandwichs au brie et aux pignons Beurrez 8 tranches de pain. Préparez des sandwichs avec 4 tartines, 4 tranches épaisses de brie, 2 c. à s. de pignons de pin grillés et les 4 tartines restantes. Coupez les sandwichs en diagonale. Dans une assiette creuse, battez 2 œufs avec 2 c. à s. de lait et assaisonnez. Faites fondre 1 noix de beurre avec 1 c. à c. d'huile d'olive dans une poêle. Plongez les sandwichs dans la préparation à base d'œuf, puis faites-les dorer 2 minutes de chaque côté.

20 MINUTES

Pain perdu tomate-pesto Coupez 4 tomates en deux. Déposez les moitiés de tomate dans un plat allant au four, côté coupé vers le haut. Posez 1 feuille de basilic sur chaque moitié, arrosez d'huile d'olive, salez et poivrez. Faites dorer 15 minutes au four préchauffé à 200 °C. Pendant ce temps, mélangez 3 œufs battus avec 1 c. à s. de lait, assaisonnez la préparation et versez-la dans une grande assiette creuse. Tartinez les 2 côtés de 8 tranches de pain avec 150 g de pesto, puis plongez les tranches de pain dans la préparation à l'œuf de sorte à bien les enrober des 2 côtés. Faites chauffer 1 c. à s. d'huile d'olive dans une grande poêle et, à feu moyen, faites griller les tranches de pain 1 minute de chaque côté, en 2 fois. Servez les tranches de pain perdu garnies de tomates rôties.

Galettes de maïs et salsa tomate-piment

Pour 4 personnes

275 g de maïs en conserve
70 g de farine ordinaire
1 c. à c. de poudre à lever
1 œuf battu
½ poivron rouge coupé
  en tout petits dés
1 petit piment rouge haché
6 c. à s. de coriandre ciselée
2 c. à s. d'huile végétale
poivre

Pour la salsa

1 c. à s. d'huile d'olive
2 tomates coupées en petits dés
½ petit piment rouge haché
1 c. à s. de sucre roux
2 c. à s. de coriandre ciselée

- Égouttez le maïs et mixez-en la moitié au robot jusqu'à obtention d'une pâte presque lisse. Dans un saladier, mélangez le maïs mixé et le maïs en grains. Ajoutez la farine et la poudre à lever, et mélangez bien. Incorporez l'œuf, le poivron, le piment et la coriandre, et poivrez.

- À feu assez vif, faites chauffer l'huile végétale dans une poêle, déposez-y 4 cuillerées à soupe de la préparation et faites dorer les galettes 1 minute de chaque côté. Retirez-les avec une spatule, déposez-les sur du papier absorbant et gardez-les au chaud. Répétez l'opération avec le reste de la préparation pour obtenir 8 galettes au total.

- Pendant ce temps, mélangez les ingrédients de la salsa dans un bol et poivrez.

- Servez les galettes chaudes, accompagnées de salsa.

---

10 MINUTES

Pancakes au maïs Préparez 150 g de préparation à pancakes du commerce selon les instructions de l'emballage, incorporez 8 c. à s. de maïs en boîte et 3 c. à s. de coriandre ciselée. Assaisonnez. À feu moyen, faites chauffer un peu d'huile végétale dans une poêle, versez ¼ de la pâte, laissez cuire le pancake 1 minute, puis quelques secondes de l'autre côté. Répétez l'opération avec le reste de la pâte. Vous pouvez garnir ces pancakes de sauce à la tomate du commerce et d'un peu de roquette.

30 MINUTES

Galettes au maïs et au crabe Mixez la moitié de 1 boîte de 275 g de maïs au robot jusqu'à obtention d'une purée presque lisse. Avec une cuillère, récupérez la chair blanche et foncée d'un crabe cuit. Incorporez à la purée de maïs la chair de crabe, le maïs en grains et 2 oignons de printemps hachés. Ajoutez ensuite 70 g de farine et 1 c. à c. de poudre à lever, et mélangez bien. Incorporez 1 œuf battu, ½ poivron rouge haché, 1 petit piment rouge épépiné et haché, 6 c. à s. de coriandre ciselée et du poivre. À feu assez vif, faites chauffer 2 c. à s. d'huile végétale dans une poêle, déposez-y 4 c. à s. de la préparation et faites dorer les galettes 1 minute de chaque côté. Retirez-les avec une spatule, déposez-les sur du papier absorbant et gardez-les au chaud. Répétez l'opération avec le reste de la pâte. Servez les galettes sur un lit de feuilles de salade, avec un petit bol de salsa, comme ci-dessus.

3⬤ MINUTES — Pitas au caviar d'aubergine

Pour 4 personnes

2 grosses aubergines
2 c. à c. de cumin moulu
1 c. à c. de coriandre moulue
1 gousse d'ail grossièrement
   hachée
150 ml d'huile d'olive
le zeste râpé et le jus de 1 citron
4 c. à s. de coriandre fraîche
   ciselée
sel et poivre
pitas

- Parez les aubergines puis détaillez-les en tranches épaisses dans le sens de la longueur. Mélangez le cumin, la coriandre moulue, l'ail et l'huile d'olive, puis badigeonnez d'un peu de cette préparation les 2 côtés des tranches d'aubergine et réservez le reste de l'huile.

- À feu assez vif, faites revenir ⅓ des tranches d'aubergine dans une poêle chaude, pendant 3 à 4 minutes, en les retournant 1 fois. Répétez l'opération avec le reste des aubergines.

- Mixez les aubergines chaudes, l'huile réservée, le zeste et le jus de citron au robot jusqu'à obtention d'une purée presque lisse. Mélangez le caviar d'aubergine et la coriandre dans un bol, salez et poivrez légèrement.

- Faites griller les pitas, coupez-les en parts et servez-les avec le caviar d'aubergine.

1⬤ MINUTES

Baba ganoush minute Dans un robot, mixez 175 g d'aubergines grillées en conserve, 2 c. à s. de jus de citron, 2 c. à s. de tahini, 1 gousse d'ail hachée, ¼ de c. à c. de sel et 1 grosse pincée de cumin moulu. Goûtez et rectifiez l'assaisonnement. Ajoutez 1 c. à s. de yaourt nature et mixez le tout quelques instants. Mettez le baba ganoush dans un bol de service, arrosez d'huile d'olive et décorez de persil haché. Servez avec des crudités.

2⬤ MINUTES

Caponata facile À feu moyen, faites chauffer 2 c. à s. d'huile d'olive dans une grande poêle à fond épais et faites revenir 1 oignon haché, 1 bâton de céleri coupé en morceaux, 1 poivron rouge et 1 poivron jaune épépinés et coupés en morceaux, et 2 gousses d'ail émincées, pendant 15 minutes, en remuant de temps en temps. Ajoutez 100 g d'aubergines grillées du traiteur coupées en morceaux, 400 g de tomates concassées en conserve, 1 c. à s. de petites câpres, 1 poignée d'olives vertes dénoyautées hachées, 1 c. à s. de vinaigre de vin rouge et 1 c. à c. de sucre en poudre. Lorsque la caponata est chaude, servez-la avec des tranches de ciabatta.

Œufs à la florentine

Pour 4 personnes

15 g de beurre + un peu
   pour beurrer les muffins
200 g de feuilles d'épinard
4 muffins anglais coupés en deux
4 œufs
200 ml de sauce hollandaise
   en bocal
3 c. à s. de persil ciselé
sel et poivre

- Remplissez à moitié une petite casserole d'eau et portez à ébullition. Pendant ce temps, à feu moyen, faites fondre le beurre dans une cocotte et faites réduire les épinards 1 à 2 minutes, en remuant. Salez et poivrez.

- Faites griller les moitiés de muffin sous le gril du four préchauffé, côté coupé vers le haut. Pochez les œufs 2 par 2 dans l'eau bouillante, pendant 1 à 2 minutes.

- Beurrez les muffins chauds, garnissez-les d'épinards, puis recouvrez le tout de 1 œuf poché. Assaisonnez les œufs avec la sauce hollandaise et le persil préalablement mélangés. Décorez de poivre du moulin.

20 MINUTES

Œufs à la florentine et sauce au poireau À feu moyen, faites fondre 25 g de beurre dans une casserole et faites réduire 2 poireaux émincés, en remuant, pendant 3 à 4 minutes. Incorporez 25 g de farine, retirez du feu et versez 400 ml de lait par petites quantités, en mélangeant bien après chaque ajout. Ajoutez 1 c. à c. de moutarde forte et mélangez bien. Remettez sur le feu, portez à ébullition et laissez cuire jusqu'à épaississement, en remuant constamment. Incorporez 2 c. à s. de parmesan râpé. Préparez les épinards, les œufs et les muffins comme ci-dessus, et ajoutez la sauce au poireau et au fromage. Servez le tout avec un peu de parmesan râpé si vous le souhaitez.

30 MINUTES

Œufs cocotte aux épinards Mélangez 100 g de beurre ramolli, 2 c. à s. de tomates séchées à l'huile égouttées et hachées, 2 c. à s. de parmesan râpé et 2 c. à s. de basilic ciselé. À feu moyen, faites fondre 15 g de ce beurre dans une grande casserole et faites revenir 400 g d'épinards pendant 2 à 3 minutes, jusqu'à ce qu'ils aient réduit. Répartissez les épinards dans le fond de 4 ramequins puis cassez 1 œuf par-dessus. Déposez sur le tout une petite noix de beurre aux tomates et faites cuire au four préchauffé à 200 °C, pendant 12 à 15 minutes. Tartinez le reste du beurre aux tomates sur 8 grosses tranches de baguette, déposez-les sur une plaque de cuisson et faites-les dorer au four pendant les 5 à 6 dernières minutes de la cuisson des œufs aux épinards. Servez les œufs avec les toasts.

Velouté de chou-fleur au fromage

Pour 4 personnes

1 chou-fleur paré et coupé
en bouquets
600 ml de bouillon de poulet
300 ml de lait
25 g de beurre
2 poireaux parés et émincés
2 c. à c. de moutarde forte
1 c. à c. de noix de muscade
moulue
100 g de gruyère râpé
3 c. à s. d'huile végétale
2 grosses tranches de pain (blanc
ou complet) coupées en dés
½ c. à c. de paprika
poivre

- Mettez le chou-fleur, le bouillon et le lait dans une casserole, portez à ébullition et, à feu réduit, laissez mijoter 10 minutes.

- Pendant ce temps, faites fondre le beurre dans une poêle et faites revenir les poireaux 5 minutes à feu moyen, en remuant de temps en temps.

- Ajoutez la moutarde et la muscade au chou-fleur, puis le fromage. Mixez la soupe au robot jusqu'à obtention d'un potage velouté. Remettez-la dans la casserole, ajoutez les poireaux et poivrez un peu. Laissez chauffer à feu doux pendant la préparation des croûtons.

- Faites chauffer l'huile dans une poêle à feu vif. Mélangez les dés de pain et le paprika, et faites dorer les croûtons 2 à 3 minutes, en remuant. Retirez-les avec une écumoire et déposez-les sur du papier absorbant.

- Servez le velouté dans des assiettes chaudes, parsemé de croûtons.

10 MINUTES

Soupe d'épinards au fromage

Versez 600 ml de bouillon de poulet et 300 ml de lait dans une casserole, ajoutez 250 g d'épinards hachés surgelés, 2 c. à c. de moutarde forte et 1 c. à c. de muscade râpée, et portez à ébullition. À feu réduit, laissez mijoter 5 minutes, incorporez 300 g de sauce au fromage pour pâtes et poursuivez la cuisson 2 minutes. Servez dans des bols, avec des croûtons du commerce.

30 MINUTES

Gratin de chou-fleur classique

Mettez 1 chou-fleur paré et coupé en bouquets dans une casserole d'eau et portez à ébullition. Réduisez le feu et laissez mijoter 10 minutes. Pendant ce temps, faites fondre 50 g de beurre dans une casserole, ajoutez 50 g de farine et faites cuire quelques secondes à feu moyen, en remuant. Hors du feu, ajoutez 600 ml de lait par petites quantités, en mélangeant bien. Remettez sur le feu, portez à ébullition et, en remuant constamment, laissez cuire jusqu'à épaississement. Incorporez 100 g de gruyère râpé, 2 c. à c. de moutarde forte et 1 c. à c. de muscade râpée. Égouttez les bouquets de chou-fleur, rangez-les dans un plat à gratin, versez la sauce au fromage et parsemez de 50 g de gruyère râpé. Faites gratiner 5 minutes sous le gril chaud.

30 MINUTES

Minipizzas artichauts-olives-taleggio

Pour 4 personnes

150 g de préparation
 pour pâte à pizza
un peu de farine ordinaire
4 c. à s. de concentré de tomate
275 g d'artichauts marinés
 en conserve, bien égouttés
4 c. à s. d'olives Kalamata
 dénoyautées
100 g de tranches de taleggio
1 salade de roquette assaisonnée
 d'huile d'olive et de jus de citron
 (facultatif)

· Préparez la pâte à pizza selon les instructions de l'emballage. Divisez-la en 4 portions, travaillez-les rapidement sur un plan de travail légèrement fariné, puis abaissez-les en 4 disques de 12 cm de diamètre et déposez-les sur une plaque de cuisson.

· Garnissez chaque fond de pizza de 1 cuillerée à soupe de concentré de tomate, puis d'artichauts et d'olives.

· Ajoutez les tranches de taleggio sur les morceaux de légumes. Faites cuire les pizzas 12 minutes au four préchauffé à 220 °C.

· Servez les pizzas bien chaudes, avec une petite salade de roquette assaisonnée d'huile d'olive et de jus de citron.

---

10 MINUTES

Bruschette aux tomates séchées et aux artichauts

Coupez 2 ciabattas aux olives en deux, horizontalement. Tartinez chaque moitié de pain de 4 c. à s. de concentré de tomate, puis garnissez-les de 250 g d'artichauts marinés en conserve égouttés et de 1 poignée de tomates séchées à l'huile égouttées. Décorez le tout de 160 g de bocconcinis et couvrez de parmesan râpé. Faites gratiner les bruschette 4 à 5 minutes sous le gril préchauffé à puissance forte.

20 MINUTES

Pizzas chèvre-artichauts-pancetta Déposez 2 fonds de pizza du commerce sur une plaque de cuisson. Garnissez-les de 2 c. à s. de pesto, de 250 g d'artichauts marinés en conserve, de 75 g de pancetta coupée en dés, puis de 125 g de tranches de fromage de chèvre. Faites cuire 12 minutes au four préchauffé à 220 °C. Coupez les pizzas en deux et servez-les, accompagnées d'une salade verte.

Viandes & volailles

Recettes par temps de préparation

10 MINUTES

30 MINUTES

Poulet grillé et couscous aux raisins

Pour 4 personnes

4 blancs de poulet de 150 g chacun
6 c. à s. de vinaigre balsamique
175 g de couscous
350 ml d'eau bouillante
  légèrement refroidie
3 c. à s. d'huile d'olive
1 avocat dénoyauté, pelé et haché
1 grosse tomate grossièrement
  hachée
5 c. à s. de coriandre fraîche hachée
50 g de raisins secs
4 c. à s. de graines de courge
sel

- Mettez le poulet dans un plat non métallique, versez le vinaigre dessus et enrobez-le bien. Couvrez et laissez mariner 5 minutes.

- Mettez le couscous dans un saladier, versez l'eau chaude et ajoutez 1 pincée de sel. Couvrez et laissez gonfler 10 minutes.

- Pendant ce temps, faites chauffer 1 cuillerée à soupe d'huile d'olive dans une poêle et faites cuire le poulet à feu moyen pendant 10 à 12 minutes, en le retournant à mi-cuisson pour qu'il soit bien doré.

- Préparez la salsa en mélangeant l'avocat, la tomate, 1 cuillerée à soupe d'huile d'olive et 1 cuillerée à soupe de coriandre.

- Ajoutez la dernière cuillerée d'huile au couscous, mélangez puis incorporez les raisins secs, les graines de courge et le reste de la coriandre. Servez le couscous sur des assiettes chaudes, garni de 1 blanc de poulet et de salsa.

10 MINUTES

Couscous au poulet et aux tomates séchées Préparez 175 g de couscous en suivant les indications de l'emballage. Faites chauffer 3 c. à s. de l'huile d'une boîte de 185 g de tomates séchées dans une grande casserole et réchauffez 400 g de morceaux de poulet cuits pendant 3 minutes. Ajoutez 5 tomates séchées hachées et 1 poivron rouge coupé en dés, et faites cuire 5 minutes à feu moyen. Incorporez 2 oignons de printemps hachés, 1 c. à s. de miel liquide, 1 c. à s. de vinaigre balsamique, 1 c. à c. de moutarde à l'ancienne et le couscous.

20 MINUTES

Poulet grillé et couscous au citron Faites cuire 4 blancs de poulet comme ci-dessus. Versez 175 g de couscous dans un saladier, ajoutez 300 ml de bouillon de poulet chaud, couvrez et laissez gonfler 10 minutes. Pour la salsa, mélangez 1 mangue dénoyautée, pelée et coupée en dés avec 1 oignon rouge finement haché, 1 tomate coupée en dés et 1 c. à s. de coriandre fraîche hachée. Dans un bol, mélangez le zeste finement râpé et le jus de 1 citron, 1 c. à s. d'huile d'olive, 1 c. à s. de vinaigre balsamique,

1 c. à s. de menthe hachée et 1 pincée de sucre. Versez sur le couscous et mélangez bien. Servez le couscous, le poulet et la salsa comme ci-dessus.

Porc sucré-salé à l'ananas

Pour 4 personnes

1 c. à s. d'huile végétale

½ ananas épluché et coupé
en morceaux

1 oignon coupé en morceaux

1 poivron orange épépiné
et coupé en morceaux

375 g de filet de porc coupé
en lamelles

100 g de pois mange-tout coupés
en deux dans la longueur

6 c. à s. de ketchup

2 c. à s. de sucre roux

2 c. à s. de vinaigre de vin blanc
ou de vinaigre de malt

nouilles aux œufs cuites
pour servir (facultatif)

- Faites chauffer l'huile dans une sauteuse ou un wok et faites sauter l'ananas à feu vif pendant 3 à 4 minutes. Retirez-le avec une écumoire. Faites revenir l'oignon et le poivron 5 minutes, en remuant. Quand ils sont tendres, ajoutez le porc et faites sauter 5 minutes, jusqu'à ce qu'il soit doré et cuit.

- Ajoutez l'ananas et les pois mange-tout, et poursuivez la cuisson 2 minutes, en remuant. Mélangez le ketchup, le sucre et le vinaigre, et versez sur la préparation. Remuez et poursuivez la cuisson 1 minute pour que la sauce soit chaude.

- Servez sans attendre, avec des nouilles aux œufs.

10 MINUTES

Porc sauté sucré-salé Filtrez le jus de 1 boîte de purée d'ananas (435 g) et mélangez-en 5 c. à s. avec 2 c. à s. de fécule de maïs, 4 c. à s. de vinaigre de riz, 2 c. à s. de ketchup, 2 c. à s. de sauce soja foncée et 2 c. à s. de sucre roux. Faites chauffer 1 c. à s. d'huile végétale dans une poêle à feu vif et faites revenir 200 g de porc coupé en lamelles pendant 2 minutes. Ajoutez 1 poivron rouge coupé et faites sauter 2 minutes. Ajoutez 5 oignons de printemps émincés, la purée d'ananas et la sauce. Réchauffez le tout et servez avec des nouilles.

30 MINUTES

Porc sucré-salé grillé
Mélangez 5 c. à s. de sauce hoisin, 2 c. à s. de vin rouge de cuisine chinois, 2 c. à s. d'huile de tournesol, 1 c. à s. de sauce soja foncée, 100 g d'oignons de printemps hachés et 3 gousses d'ail hachées. Mettez 4 steaks d'épaule de porc de 175 g chacun dans un plat, nappez de sauce et de 1 c. à s. de miel liquide. Faites cuire 20 minutes dans un four préchauffé à 180 °C. Sortez du four, nappez de 1 autre c. à s. de miel et poursuivez la cuisson 5 minutes. Faites chauffer 1 c. à s. d'huile de sésame dans une poêle ou un wok et faites sauter ½ ananas épluché et coupé en morceaux pendant 3 minutes, à feu vif. Ajoutez 1 poignée de pak choi et faites sauter pour qu'il se flétrisse. Servez le porc sur des nouilles, avec l'ananas et le pak choi.

MINUTES # Burgers de poulet à l'estragon

Pour 4 personnes

500 g de blancs de poulet coupés
en gros morceaux

1 c. à s. de moutarde à l'ancienne

3 c. à s. d'estragon ciselé

½ petit piment rouge finement
haché (facultatif)

4 petits pains complets

poivre

Pour servir

sauce béarnaise toute prête

feuilles de roquette assaisonnées
au jus de citron

- Hachez le poulet au robot. Mélangez-le avec la moutarde, l'estragon et le piment. Poivrez. Mélangez bien et formez 4 galettes.

- Posez les galettes sur une grille recouverte de papier d'aluminium et faites-les cuire sous le gril préchauffé, 4 à 5 minutes de chaque côté. Coupez les petits pains en deux dans l'épaisseur et passez-les sous le gril pendant 1 minute, côté coupé vers le haut.

- Posez une galette sur chaque base de pain chaud, ajoutez 1 cuillerée de sauce béarnaise et quelques feuilles de roquette au jus de citron. Recouvrez avec l'autre moitié du pain et servez.

 **MINUTES**

Burgers au poulet et mayonnaise à l'estragon

Placez 4 blancs de poulet de 150 g chacun entre 2 morceaux de film alimentaire huilés et aplatissez-les au rouleau pour réduire leur épaisseur de moitié. Battez 1 œuf avec 1 c. à c. de moutarde. Versez 100 g de chapelure sur une assiette. Trempez les blancs de poulet dans l'œuf puis dans la chapelure. Faites cuire 4 minutes de chaque côté, sous le gril préchauffé. Mélangez 1 c. à s. d'estragon haché avec 1 c. à c. de jus de citron et 4 c. à s. de mayonnaise. Mettez la viande dans les petits pains grillés, avec un peu de sauce et quelques feuilles de salade.

30 MINUTES

Poulet frit à l'estragon et aux tomates séchées

Ouvrez 4 blancs de poulet de 150 g chacun en leur centre pour créer une poche. Placez dedans 4 tomates séchées et 1 belle branche d'estragon. Fermez avec de la ficelle de cuisine ou une pique en bois. Faites chauffer 2 c. à s. d'huile d'olive dans une sauteuse et faites cuire le poulet à feu moyen, 5 minutes de chaque côté. Ajoutez 300 ml de bouillon de poulet et portez à ébullition. Baissez le feu, couvrez et laissez frémir 10 minutes. Battez 1 œuf avec 2 c. à c. de moutarde de Dijon. Incorporez progressivement 200 ml d'huile végétale au fouet,

jusqu'à obtention d'un mélange épais et crémeux. Ajoutez 2 c. à s. d'estragon haché, salez et poivrez. Servez le poulet sur des assiettes chaudes, nappé de sauce.

30 MINUTES — Saucisses et haricots au romarin

Pour 4 personnes

1 c. à s. d'huile d'olive
12 saucisses de bonne qualité
1 oignon rouge émincé
2 poivrons rouges épépinés
   et coupés en morceaux
1 c. à s. de feuilles de romarin
400 g de haricots azuki
   (ou tout autre haricot)
   en conserve, égouttés et rincés
400 g de haricots blancs
   en conserve, égouttés et rincés
400 g de tomates cerises
150 ml de bouillon de bœuf
pain complet chaud et croustillant
   pour servir

• Faites chauffer l'huile d'olive dans une sauteuse et faites cuire les saucisses à feu moyen, en les retournant souvent, pendant 10 minutes environ. Retirez-les avec une écumoire. Laissez environ 1 cuillerée à soupe d'huile de cuisson dans la poêle et jetez le reste. Ajoutez l'oignon et les poivrons, et faites-les cuire 3 à 4 minutes, en remuant. Ajoutez le romarin et poursuivez la cuisson 1 minute.

• Ajoutez les haricots, les tomates cerises et le bouillon, et portez à ébullition. Remettez les saucisses dans la sauteuse, baissez le feu et laissez frémir 10 minutes, pour que les haricots et les saucisses soient bien chauds.

• Servez dans des assiettes creuses chaudes, avec du pain croustillant.

10 MINUTES

Doliques aux tomates et au piment Faites chauffer 1 c. à s. d'huile d'olive dans une sauteuse, puis faites revenir 2 oignons rouges hachés, 1 piment vert épépiné et finement haché, et 1 c. à c. de gingembre frais pelé et finement haché, en remuant, pendant 5 minutes. Ajoutez 1 c. à c. de harissa et 100 g d'abricots dénoyautés hachés. Mélangez. Ajoutez 2 boîtes de 400 g de tomates concassées et 1 boîte de 400 g de doliques, égouttés, et faites chauffer le tout, en remuant, pendant 5 minutes. Salez et poivrez. Servez avec du couscous et du yaourt à la grecque mélangé avec de la coriandre fraîche ciselée.

20 MINUTES

Poulet, chorizo et pois chiches Faites chauffer 1 c. à s. d'huile végétale dans une sauteuse, ajoutez 3 blancs de poulet de 150 g chacun, en fines lamelles, 1 oignon et 1 gousse d'ail hachés, et faites revenir 5 minutes, en remuant, à feu moyen. Coupez en rondelles 1 chorizo de 200 g, ajoutez-les dans la sauteuse et faites cuire 2 minutes. Ajoutez 2 boîtes de 400 g de tomates concassées, 1 boîte de 400 g de pois chiches, égouttés, 1 c. à c. de cumin moulu et 1 c. à c. de paprika fumé. Laissez frémir 10 minutes, salez et poivrez. Ajoutez du persil haché. Servez avec du riz sauvage.

10 MINUTES

Poulet aux cacahuètes et salade mangue-épinards

Pour 4 personnes

2 c. à s. d'huile de sésame

2 blancs de poulet de 175 g chacun, coupés en fines lamelles

150 g d'épinards et de cresson frais

1 grosse mangue mûre dénoyautée, pelée et coupée en tranches

4 c. à s. de beurre de cacahuète avec morceaux

5 c. à s. de lait de coco

2 c. à s. de sauce pimentée sucrée

4 c. à s. d'eau

- Faites chauffer 1 cuillerée à soupe d'huile de sésame dans une sauteuse et faites cuire le poulet à feu vif 5 à 6 minutes, en remuant.

- Mettez les épinards et le cresson dans un saladier, avec la mangue, versez le reste de l'huile de sésame et mélangez.

- Ajoutez les ingrédients restants dans la sauteuse et faites revenir le tout pendant 1 minute, en remuant. Incorporez à la salade et servez tiède.

20 MINUTES

Brochettes de poulet à la mangue Coupez en cubes 3 blancs de poulet de 175 g chacun. Mélangez-les avec 4 c. à s. de sauce soja foncée, 1 cm de gingembre frais, pelé et haché, et ½ c. à c. de 5-épices chinois. Laissez mariner 5 minutes. Dénoyautez, pelez et coupez 1 mangue en morceaux. Mélangez-les avec 1 c. à s. d'huile de sésame et 2 c. à s. de coriandre fraîche hachée. Piquez le poulet et la mangue sur 8 brochettes en métal et faites-les cuire 8 à 10 minutes sous le gril préchauffé.

30 MINUTES

Poulet sauté à la mangue, sauce aux cacahuètes Faites chauffer 1 c. à s. d'huile végétale dans un wok ou une sauteuse et faites revenir 4 blancs de poulet de 150 g chacun, coupés en cubes, 8 à 10 minutes à feu moyen. Ajoutez 2 grosses carottes épluchées et coupées en bâtonnets épais, et faites sauter 5 minutes. Ajoutez 1 botte d'oignons de printemps, hachés, et 200 g de pois gourmands, et faites sauter 2 minutes. Ajoutez ½ mangue pelée, dénoyautée et coupée en tranches. Faites sauter 1 minute en remuant.

Retirez du feu. Mélangez 3 c. à s. de beurre de cacahuète avec morceaux, 2 c. à s. de sauce soja foncée et 150 ml d'eau bouillante. Versez dans la préparation et reprenez la cuisson pendant 2 minutes, en remuant doucement pour ne pas briser les morceaux de mangue.

30 MINUTES

Filet de bœuf en croûte de moutarde et frites au four

Pour 4 personnes

25 g de beurre
500 g de filet de bœuf
3 c. à s. de moutarde à l'ancienne
1 c. à s. de moutarde de Dijon
3 c. à s. de feuilles de thym
2 c. à s. de persil haché
salade verte pour servir
   (facultatif)

Pour les frites

4 pommes de terre à cuire
   au four, brossées et coupées
   en quartiers
2 c. à s. d'huile d'olive
½ c. à c. de fleur de sel
½ c. à c. de moutarde en poudre
3 c. à s. de persil haché

- Pour les frites, étalez les quartiers de pomme de terre sur un grand plat, versez l'huile d'olive dessus et mélangez pour bien les enrober. Saupoudrez avec la fleur de sel et la moutarde en poudre, puis mélangez. Faites cuire 20 minutes au four préchauffé à 220 °C.

- Faites fondre le beurre dans une sauteuse et faites dorer le filet de bœuf à feu vif, en le retournant, pour qu'il soit saisi et bien doré. Réservez-le sur le plan de travail. Mélangez les 2 moutardes et les herbes, et étalez la préparation sur la viande. Mettez le filet dans le plat avec les frites, ou dans un autre plat, et faites cuire 15 minutes au four, pour qu'il reste rosé au centre.

- Coupez le filet en fines tranches et servez, avec des frites parsemées de persil et de la salade verte.

10 MINUTES

Steaks et sauce à la roquette

Mixez au robot 50 g de roquette (gardez quelques feuilles pour la décoration), 4 c. à s. de sauce au raifort, 1 gousse d'ail, 1 c. à c. de moutarde de Dijon et 200 ml de crème fraîche allégée. Faites chauffer 1 c. à s. d'huile d'olive dans une poêle et faites dorer 4 faux-filets de bœuf de 150 g chacun, pendant 1 minute 30 de chaque côté. Réservez. Réchauffez la sauce et nappez-en les steaks. Garnissez de quelques feuilles de roquette et servez avec des frites au four.

20 MINUTES

Steaks au poivre et frites de courge butternut Mettez 350 g de courge butternut coupée en frites dans un plat, ajoutez 2 c. à s. d'huile d'olive et ½ c. à c. de fleur de sel, et mélangez. Faites cuire 15 à 17 minutes au four préchauffé à 220 °C. Badigeonnez 4 faux-filets de 175 g chacun d'huile d'olive puis de 3 c. à s. de moutarde de Dijon mélangée à 3 c. à s. de poivre en grains moulu. Faites-les cuire 6 à 8 minutes dans une poêle-gril chaude, en les retournant 1 fois.

Laissez-les reposer 5 minutes avant de servir, accompagnés des frites de courge, de 1 cuillerée de bonne mayonnaise et d'une salade verte.

30 MINUTES

Jambalaya de poulet et chorizo au poivron

Pour 4 personnes

175 g de riz long grain
1 c. à s. d'huile d'olive
250 g de chorizo coupé
  en rondelles épaisses
1 oignon haché
375 g de blancs de poulet
  coupés en morceaux
1 poivron rouge + 1 poivron vert
  + 1 poivron jaune épépinés
  et coupés en morceaux
2 bâtons de céleri hachés
2 c. à s. d'eau froide
1 c. à s. de fécule de maïs
600 ml de bouillon de poulet
400 g de tomates concassées
  en conserve
sel et poivre
4 c. à s. de persil haché

- Portez à ébullition une casserole d'eau salée et faites cuire le riz 15 minutes, puis égouttez-le.

- Faites chauffer l'huile d'olive dans une sauteuse et faites dorer, à feu moyen, le chorizo, l'oignon et le poulet 10 minutes, en remuant. Ajoutez les poivrons et le céleri, et poursuivez la cuisson 5 minutes.

- Mélangez l'eau froide et la fécule de maïs, incorporez au bouillon, versez-le dans la sauteuse, avec les tomates, et portez à ébullition. Laissez frémir 5 minutes, puis ajoutez le riz. Salez et poivrez bien.

- Servez le plat garni de persil, avec du pain croustillant et de la salade.

10 MINUTES

Jambalaya à la créole Faites chauffer 1 c. à s. d'huile d'olive dans une casserole et faites revenir 1 oignon haché 5 minutes, à feu moyen. Ajoutez 200 g de chorizo en rondelles, 4 blancs de poulet déjà cuits, de 150 g chacun, coupés en morceaux, et 1 c. à c. de mélange d'épices créole. Faites cuire 1 minute et ajoutez 350 g de sauce tomate, 100 ml de bouillon de poulet et 600 g de riz frit aux œufs. Mélangez, réchauffez, salez et poivrez.

20 MINUTES

Jambalaya de poulet cajun Mettez 4 blancs de poulet de 150 g chacun dans un sac de congélation. Ajoutez 1 c. à s. de mélange d'épices cajun et secouez pour les enrober. Faites-les cuire 6 minutes de chaque côté, sous le gril préchauffé. Faites chauffer 500 g de riz long grain déjà cuit et versez-le dans un saladier. Ajoutez 250 g de morceaux d'ananas frais, 25 g de coriandre fraîche ciselée, 3 oignons de printemps hachés et 1 piment rouge épépiné et finement haché. Mélangez bien, salez et poivrez. Coupez le poulet en lamelles et servez-le sur le riz chaud, avec une salsa fraîche et du yaourt nature.

30 MINUTES

Poulet aux légumes racines et au miel

Pour 4 personnes

4 blancs de poulet de 175 g chacun

2 grosses pommes de terre pelées et coupées en morceaux

6 panais pelés et coupés en morceaux

6 carottes pelées et coupées en morceaux

4 c. à s. d'huile d'olive

4 boulettes de bœuf prêtes à cuire

2 poireaux parés, nettoyés et coupés en tronçons

3 c. à s. de miel liquide

2 c. à s. de persil plat haché

sel et poivre

- Disposez les blancs de poulet dans un grand plat, avec les pommes de terre, les panais et les carottes. Nappez d'huile d'olive et mélangez pour bien les enrober. Salez, poivrez et faites cuire 20 minutes au four préchauffé à 220 °C.

- Ajoutez les boulettes et les poireaux dans le plat, et poursuivez la cuisson 5 à 6 minutes.

- Retirez les boulettes et le poulet du plat. Ajoutez le miel et le persil sur les légumes, et mélangez. Servez la viande avec les légumes grillés au miel.

10 MINUTES

Poulet minute au miel Faites dorer 4 boulettes de bœuf prêtes à cuire 3 à 4 minutes sous le gril préchauffé à puissance maximale, en les retournant plusieurs fois. Pendant ce temps, faites chauffer 2 c. à s. d'huile d'olive dans une poêle et faites revenir 750 g de légumes pour ratatouille surgelés, à feu vif, pendant 5 minutes. Quand les légumes sont chauds, ajoutez 4 blancs de poulet de 150 g chacun, déjà cuits et effilochés, et faites chauffer 2 minutes. Ajoutez 3 c. à s. de miel liquide et 2 c. à s. de persil haché. Servez le poulet et les légumes méditerranéens avec 1 boulette de bœuf.

20 MINUTES

Saucisses au jambon Enroulez 8 chipolatas dans 8 tranches de jambon de Parme, disposez-les dans un plat et faites-les cuire 5 minutes au four préchauffé à 200 °C. Ajoutez 750 g d'un mélange de légumes grillés surgelé, nappez d'huile d'olive et faites cuire 8 minutes. Ajoutez 4 boulettes de bœuf prêtes à cuire et poursuivez la cuisson 6 minutes. Nappez de vinaigre balsamique, puis servez.

Agneau et légumes méditerranéens sautés

Pour 4 personnes

2 c. à s. d'huile d'olive

250 g de filet de collier d'agneau

1 oignon rouge coupé en quartiers

2 grosses courgettes parées
et coupées en morceaux

2 c. à c. de graines de coriandre
pilées

½ c. à c. de cumin moulu

½ c. à c. de paprika

1 poivron rouge coupé
en morceaux

1 gousse d'ail émincée

400 g de tomates cerises

1 poignée de feuilles de coriandre
fraîche hachées

poivre

pain complet chaud pour servir

- Faites chauffer l'huile d'olive dans une sauteuse ou un wok et faites revenir l'agneau coupé en fines lamelles, avec l'oignon, à feu vif, pendant 2 à 3 minutes. Ajoutez les courgettes et poursuivez la cuisson 2 minutes.

- Incorporez les épices, mélangez, puis ajoutez le poivron et l'ail, baissez le feu et faites cuire à feu moyen 4 à 5 minutes. Les légumes doivent être tendres, tout en gardant leur forme.

- Ajoutez les tomates, poivrez généreusement et portez à ébullition. Baissez le feu et laissez frémir 5 minutes, en remuant. Veillez à ce que les légumes ne se décomposent pas. Ajoutez la coriandre juste avant de servir, avec du pain complet chaud pour saucer.

10 MINUTES

Brochettes d'agneau et légumes Coupez 250 g de collier d'agneau en petits morceaux, saupoudrez de 1 c. à c. de cumin moulu et de 1 c. à c. de paprika, salez et poivrez. Piquez la viande sur des brochettes en métal, avec les morceaux de 2 grosses courgettes et 225 g de tomates cerises. Badigeonnez-les d'huile d'olive et faites-les cuire 8 minutes sous le gril préchauffé, en les retournant à mi-cuisson. Servez avec du pain pita chaud et du tzatziki.

30 MINUTES

Agneau braisé et légumes méditerranéens Faites chauffer 2 c. à s. d'huile d'olive dans une sauteuse ou un wok et faites revenir 250 g de collier d'agneau en fines lamelles, avec 1 gros oignon rouge, à feu vif, pendant 2 à 3 minutes. Ajoutez 2 grosses courgettes coupées en morceaux et poursuivez la cuisson 2 minutes. Ajoutez 2 c. à c. de graines de coriandre concassées, ½ c. à c. de cumin moulu et ½ c. à c. de paprika. Mélangez. Ajoutez 1 poivron rouge, 1 poivron orange et 1 poivron vert coupés en morceaux, et 1 gousse d'ail émincée. Baissez le feu et laissez frémir 4 à 5 minutes à feu moyen. Ajoutez 225 g de tomates cerises et 150 ml de bouillon d'agneau, et portez à ébullition. Baissez le feu, couvrez et laissez frémir 15 minutes, en remuant.

20 MINUTES Sandwichs au bœuf teriyaki

Pour 4 personnes

375 g de faux-filet
2 c. à s. de sauce soja foncée
1 c. à s. d'huile végétale
1 c. à c. de 5-épices chinois
2,5 cm de gingembre frais,
    pelé et râpé
1 gros pain ciabatta coupé
    en quatre

Pour la salade

100 g de pousses de haricot mungo
1 poivron rouge épépiné
    et coupé en fines lamelles
4 c. à s. de coriandre fraîche hachée
1 c. à s. d'huile de sésame
6 c. à s. de sauce pimentée
    sucrée

- Avec un couteau bien aiguisé, coupez le faux-filet en tranches très fines, dans la largeur. Mettez la sauce soja, l'huile, le 5-épices et le gingembre dans un plat, ajoutez la viande et mélangez. Couvrez et laissez mariner 5 minutes.

- Posez les morceaux de pain sur une plaque et faites-les chauffer 10 minutes au four préchauffé à 200 °C.

- Mélangez tous les ingrédients de la salade dans un plat. Faites chauffer une poêle-gril ou une poêle, égouttez la viande et faites griller chaque morceau 1 minute de chaque côté. Garnissez le pain chaud de viande et d'un peu de salade.

10 MINUTES

Sandwichs à la crème de raifort
Salez et poivrez 4 pavés de rumsteck de 150 g chacun et faites-les cuire 3 minutes de chaque côté dans une poêle-gril, à feu vif. Laissez-les reposer. Mélangez 100 g de crème fraîche, 4 c. à s. de sauce au raifort et le jus de 1 citron. Salez et poivrez. Coupez les pavés en tranches de 1 cm d'épaisseur. Garnissez 8 petits pains croustillants avec de la viande, 1 cuillerée de sauce, des oignons caramélisés et un peu de cresson.

30 MINUTES

Sandwichs au bœuf comme à New York Coupez 300 g de bœuf maigre cuit en fines lamelles. Pour la salade de chou, mélangez ½ petit chou rouge émincé avec ½ oignon rouge émincé, le jus de ½ citron, 1 c. à s. d'huile d'olive, 1 poignée de persil ciselé, du sel et du poivre. Pour la sauce, battez 4 c. à s. de crème fraîche avec 4 c. à s. de ketchup. Beurrez 8 tranches de pain au levain, retournez-les et nappez-les de 1 belle cuillerée de sauce.

Garnissez 4 tranches de pain, côté sauce, avec 1 tranche de gruyère, ¼ de la salade et ¼ de la viande. Ajoutez un peu de persil haché. Recouvrez avec les 4 tranches de pain restantes, côté beurré vers le haut, et appuyez fermement. Faites cuire les sandwichs dans une poêle-gril bien chaude, pour qu'ils soient dorés de chaque côté. Servez avec des cornichons.

10 MINUTES

Riz frit au lard fumé et aux petits pois

Pour 4 personnes

2 c. à s. d'huile de sésame

2 œufs battus

8 tranches de lard fumé coupées en petits morceaux

1 botte d'oignons de printemps, parés et grossièrement hachés

100 g de petites crevettes cuites décortiquées

100 g de petits pois surgelés

250 g de riz long grain cuit

sel et poivre

- Faites chauffer 1 cuillerée à soupe d'huile de sésame dans une grande poêle, ajoutez les œufs en fine couche et faites-les cuire à feu moyen 1 à 2 minutes. Coupez l'omelette en fines lamelles.

- Mettez le reste de l'huile dans la poêle et faites revenir le lard et les oignons 2 à 3 minutes, à feu vif, pour que le lard soit grillé et les oignons tendres. Ajoutez les crevettes et les petits pois, et faites sauter le tout pendant 1 minute. Ajoutez le riz et réchauffez 2 à 3 minutes.

- Ajoutez les lamelles d'omelette, salez, poivrez et mélangez. Servez sans attendre.

---

20 MINUTES

Bœuf sauté et riz aux noix de cajou Faites cuire 200 g de riz long grain 15 minutes dans de l'eau bouillante, puis égouttez-le. Faites chauffer 1 c. à s. d'huile de sésame dans un wok ou une sauteuse et faites sauter 300 g de rumsteck en fines lamelles, 3 à 4 minutes. Ajoutez 1 botte d'oignons de printemps, émincés, et faites sauter 2 minutes, puis 100 g de petits pois (décongelés si surgelés) et poursuivez la cuisson 2 minutes. Incorporez 75 g de noix de cajou grillées, 6 c. à s. de coriandre ciselée et 5 c. à s. de sauce pimentée sucrée. Faites sauter 1 minute. Ajoutez le riz, mélangez et réchauffez 2 minutes.

30 MINUTES

Riz frit aux légumes Portez à ébullition une casserole d'eau salée et faites cuire 200 g de riz long grain pendant 15 minutes. Égouttez-le. Faites chauffer 3 c. à s. d'huile d'olive dans un wok ou une sauteuse et faites revenir 2 bâtons de céleri émincés, 1 petite courgette parée, coupée en deux puis en fines tranches, et 2 carottes épluchées et coupées en rondelles, pendant 10 minutes à feu vif. Réservez. Faites chauffer 1 c. à s. d'huile de sésame dans une autre sauteuse, versez 2 œufs battus en fine couche et faites cuire à feu moyen, 1 à 2 minutes, pour que l'omelette prenne.

Coupez-la en lamelles. Ajoutez le riz et l'omelette aux légumes, mélangez et réchauffez le tout. Servez avec de la sauce soja claire.

30 MINUTES

Saucisses aux pommes et aux oignons

Pour 4 personnes

3 oignons rouges coupés
en quartiers

3 pommes rouges épépinées
et coupées en six

200 g de petites carottes
grattées

3 pommes de terre épluchées
et coupées en cubes

4 c. à s. d'huile d'olive

12 saucisses de porc
de bonne qualité

2 c. à s. de feuilles de sauge
hachées

1 c. à s. de feuilles de romarin

3 c. à s. de miel liquide

sel et poivre

- Disposez les quartiers d'oignon et de pomme dans un grand plat à gratin, avec les carottes et les pommes de terre. Nappez d'huile et mélangez pour bien les enrober. Salez et poivrez généreusement. Disposez les saucisses entre les légumes, parsemez d'herbes et mélangez.

- Faites cuire 20 à 22 minutes au four préchauffé à 200 °C, pour que tout soit bien doré et cuit.

- Sortez le plat du four et nappez de miel. Mélangez bien, puis servez.

10 MINUTES

Porc sauté aux pommes et aux oignons Coupez 250 g de filet de porc en très fines lamelles. Faites chauffer 2 c. à s. d'huile d'olive dans un wok ou une sauteuse, faites sauter le porc 2 à 3 minutes, à feu vif. Ajoutez 2 pommes épépinées et 2 oignons rouges, coupés en fins quartiers, faites sauter 3 à 4 minutes. Ajoutez 1 c. à s. de feuilles de sauge ou de romarin hachées et mélangez. Servez avec une ciabatta chaude et de la moutarde de Dijon.

20 MINUTES

Saucisses grillées aux pommes et aux oignons Faites griller 12 saucisses de porc 10 à 12 minutes sous le gril du four préchauffé, en les retournant à mi-cuisson. Faites chauffer 2 c. à s. d'huile d'olive dans un wok ou une sauteuse et faites revenir 2 pommes épépinées et 2 oignons rouges, coupés en fins quartiers, à feu vif pendant 3 à 4 minutes. Coupez 200 g de petites carottes en deux dans la longueur, ajoutez-les, avec 2 c. à s. de feuilles de sauge hachées, et faites sauter 3 minutes. Ajoutez 6 c. à s. de bouillon de bœuf chaud, couvrez et laissez cuire 3 minutes. Sortez les saucisses du four, coupez-les en rondelles épaisses et ajoutez-les à la préparation, avec 3 c. à s. de miel liquide. Mélangez et servez avec du pain croustillant.

Cuisses de poulet
à la crème et au citron

Pour 4 personnes

8 cuisses de poulet désossées
4 c. à s. de feuilles de thym
1 c. à s. d'huile d'olive
le zeste finement râpé
   et le jus de 1 citron
1 c. à s. de moutarde de Dijon
400 ml de crème fraîche
200 g de pousses d'épinard
poivre
riz cuit ou purée de pommes
   de terre pour servir

- Poivrez généreusement les cuisses de poulet et enrobez-les de feuilles de thym. Faites chauffer l'huile d'olive dans une sauteuse et faites cuire le poulet à feu moyen pendant 20 minutes, en le retournant souvent pendant les 10 premières minutes. Couvrez pour les 10 dernières minutes de cuisson.

- Ajoutez le zeste et le jus de citron, et mélangez. Mélangez la moutarde avec 200 ml de crème, puis versez toute la crème dans la sauteuse. Ajoutez les épinards. Mélangez et faites chauffer 2 à 3 minutes, pour que les épinards se flétrissent et que la sauce soit bien chaude.

- Servez avec du riz ou une purée de pommes de terre à la crème.

10 MINUTES

Poulet au cresson Hachez grossièrement 85 g de cresson avec ½ gousse d'ail et 1 c. à s. de câpres. Mélangez avec le zeste de 1 citron finement râpé, salez et poivrez. Versez sur une assiette et enrobez 340 g de petits blancs de poulet avec cette préparation. Faites chauffer ½ c. à s. d'huile d'olive dans une poêle, ajoutez le poulet et le reste de l'enrobage, et faites cuire 3 à 4 minutes de chaque côté. Servez avec une salade de couscous.

20 MINUTES

Tagliatelles au poulet, sauce citron Faites cuire 350 g de tagliatelles 8 à 10 minutes dans une casserole d'eau bouillante salée. Égouttez et réservez au chaud. Pendant ce temps, faites chauffer 1 c. à s. d'huile d'olive dans une grande sauteuse et faites cuire 4 blancs de poulet de 150 g chacun, coupés en fines lamelles, pendant 4 à 5 minutes. Ajoutez 150 g de petits pois surgelés et faites chauffer 2 minutes. Incorporez 100 ml de jus de citron, 100 ml de crème fraîche et 1 poignée de basilic déchiré. Ajoutez les pâtes, salez et poivrez. Réchauffez le tout, en remuant délicatement. Servez sans attendre, avec une salade verte.

30 MINUTES

Tarte oignon-lardons cuite à la poêle

Pour 4 personnes

500 g de pommes de terre
   pelées et coupées
   en rondelles épaisses
2 c. à s. d'huile d'olive
250 g de lard fumé coupé
   en petits morceaux
1 gros oignon émincé
250 g de ricotta
2 œufs
4 c. à s. de persil haché
600 ml de bouillon de poulet
sel et poivre
salade verte pour servir
   (facultatif)

- Faites cuire les pommes de terre 10 minutes dans de l'eau bouillante salée.

- Faites chauffer l'huile d'olive dans une sauteuse, puis faites revenir le lard et l'oignon à feu moyen, en remuant, pendant 5 minutes, jusqu'à ce que le lard soit doré et l'oignon tendre. Égouttez les pommes de terre, mettez-les dans la sauteuse et faites-les sauter 2 minutes, en remuant.

- Ajoutez des cuillerées de ricotta à la préparation. Battez les œufs, le persil et le bouillon dans un bol. Salez, poivrez et versez sur la préparation. Faites cuire 10 minutes sur feu doux, puis passez 2 à 3 minutes sous le gril du four préchauffé.

- Servez sur des assiettes chaudes, avec une salade verte.

10 MINUTES

Omelette chorizo, épinards, oignon Préparez 400 g de feuilles d'épinard dans une passoire et couvrez d'eau bouillante, délicatement, pour qu'elles se flétrissent. Passez-les sous l'eau froide et pressez pour ôter l'eau. Faites chauffer 3 c. à s. d'huile d'olive dans une poêle et faites cuire 1 oignon finement haché et 100 g de chorizo en tranches, à feu moyen, pendant 5 minutes. Battez 6 gros œufs dans un bol, salez, poivrez et ajoutez les épinards. Versez dans la poêle et faites cuire 4 minutes, puis faites dorer 1 minute sous le gril.

20 MINUTES

Tortilla aux lardons et à l'oignon Coupez 560 g de pommes de terre nouvelles cuites en rondelles épaisses. Faites chauffer 2 c. à s. d'huile d'olive dans une sauteuse, puis faites cuire 250 g de lardons fumés et 1 oignon émincé à feu moyen, en remuant, pendant 5 minutes. Ajoutez les pommes de terre et faites cuire 2 minutes, en remuant. Battez 6 œufs dans un bol, salez et poivrez, puis incorporez 4 c. à s. de persil haché. Versez sur les lardons et les pommes de terre, et faites cuire à feu doux pendant 10 minutes. Râpez 25 g de manchego sur la tortilla, puis faites-la dorer sous le gril du four préchauffé pendant 2 à 3 minutes, pour qu'elle soit prise et bien dorée.

20 MINUTES

Rouelles de porc aux abricots et pommes de terre sautées

Pour 4 personnes

500 g de pommes de terre pelées et coupées en cubes

4 rouelles de porc de 100 g chacune

3 c. à s. d'huile végétale

1 oignon grossièrement haché

400 g d'abricots en conserve dans leur jus, égouttés (réservez le jus)

1 c. à c. de cannelle moulue

2 c. à c. de paprika

3 c. à s. de persil haché

sel et poivre

- Faites cuire les pommes de terre 10 minutes dans une casserole d'eau bouillante salée. Égouttez-les.

- Faites cuire les rouelles sous le gril du four préchauffé pendant 5 à 6 minutes de chaque côté ; elles doivent être bien cuite.

- Faites chauffer 1 cuillerée à soupe d'huile dans une casserole à fond épais. Faites revenir l'oignon 3 à 4 minutes, à feu moyen, en remuant. Ajoutez le jus des abricots et la cannelle, et faites chauffer 3 minutes à feu vif pour que le liquide réduise de moitié. Hors du feu, ajoutez les abricots puis mixez la préparation pour obtenir une sauce épaisse. Remettez-la dans la casserole et faites chauffer doucement.

- Faites chauffer le reste de l'huile dans une poêle et faites sauter les pommes de terre à feu vif pendant 5 minutes, pour qu'elles soient dorées et croustillantes. Saupoudrez de paprika, salez, poivrez et parsemez de persil.

- Garnissez les rouelles d'un peu de sauce et servez avec des pommes de terre.

10 MINUTES

Rouelles glacées à l'abricot
Faites chauffer 2 c. à s. de confiture d'abricots dans une petite casserole. Ajoutez ½ c. à c. de cumin moulu et poivrez. Faites cuire 4 rouelles de 100 g chacune sous le gril du four préchauffé, 5 à 6 minutes de chaque côté, en les badigeonnant de sauce régulièrement. Servez avec du couscous.

30 MINUTES

Rouelles glacées et boulgour à la menthe Portez à ébullition de l'eau et faites-y cuire 150 g de boulgour à petits bouillons pendant 8 minutes. Ajoutez 150 g de petits pois surgelés et 2 poireaux parés, lavés et émincés. Laissez frémir 3 minutes. Dans une autre casserole, faites frémir le jus de 1 orange avec 2 c. à s. de miel liquide, 2 c. à c. de sauce Worcestershire et 2 c. à c. de moutarde de Dijon, pendant 2 minutes. Faites cuire 4 rouelles sous le gril, 5 à 6 minutes de chaque côté, en les badigeonnant de sauce. Égouttez le boulgour et les légumes, salez et poivrez, puis ajoutez 2 c. à s. de sauce à la menthe. Coupez chaque rouelle en deux et servez sur un lit de boulgour tiède.

30 MINUTES

Blancs de poulet façon coq au vin

Pour 4 personnes

2 c. à s. de farine

4 blancs de poulet de 150 g chacun

2 c. à s. d'huile d'olive

100 g de pancetta fumée coupée en morceaux

2 gros oignons rouges en quartiers

1 gousse d'ail émincée

1 c. à s. de feuilles de romarin

300 g de champignons de Paris entiers, pied terreux coupé

300 ml de bouillon de poulet

300 ml de vin rouge

sel et poivre

Pour servir (facultatif)

pain croustillant

haricots verts

· Versez la farine sur une assiette, ajoutez du sel et du poivre. Roulez les blancs de poulet dans la farine pour les enrober.

· Faites chauffer 1 cuillerée à soupe d'huile d'olive dans une sauteuse, puis faites revenir la pancetta et les oignons à feu moyen, 4 à 5 minutes, en remuant. Ajoutez l'ail, le romarin et les champignons. Faites sauter 2 minutes. Réservez les ingrédients en les sortant avec une écumoire.

· Ajoutez l'huile restante dans la sauteuse et faites cuire le poulet 10 minutes, à feu moyen, en le retournant plusieurs fois. Ajoutez le bouillon et le vin, et portez à ébullition. Remettez la pancetta, les oignons et les champignons dans la casserole, baissez le feu, couvrez et faites cuire 7 minutes. Retirez le couvercle et faites cuire 3 minutes de plus. Servez avec du pain croustillant et des haricots verts, si vous le souhaitez.

10 MINUTES

Pâtes au poulet Faites cuire 200 g de farfalles 8 à 10 minutes dans l'eau bouillante. Égouttez-les. Faites chauffer 1 c. à s. d'huile d'olive dans une poêle et faites cuire 4 blancs de poulet émincés, de 150 g chacun, avec 100 g de pancetta fumée hachée et 1 oignon rouge émincé, pendant 6 à 7 minutes. Incorporez 200 ml de crème fraîche et 1 c. à s. de moutarde à l'ancienne. Ajoutez les pâtes et mélangez bien.

20 MINUTES

Coq au vin express Coupez 4 blancs de poulet de 150 g chacun en fines lamelles. Mélangez-les avec 2 c. à s. de farine, du sel et du poivre. Faites chauffer 2 c. à s. d'huile d'olive dans une poêle, faites revenir le poulet avec 100 g de pancetta fumée hachée, 2 gros oignons rouges hachés, 1 gousse d'ail émincée, 1 c. à s. de feuilles de thym et 300 g de petits champignons bruns nettoyés, pendant 10 minutes, à feu moyen. Ajoutez 300 ml de bouillon de poulet et 300 ml de vin rouge, portez à ébullition puis laissez frémir 5 minutes. Servez avec du pain croustillant.

30 MINUTES

Curry d'agneau et pommes de terre

Pour 4 personnes

2 c. à s. d'huile végétale

1 gros oignon coupé en morceaux

625 g d'agneau maigre coupé
en cubes

1 petit piment vert grossièrement
haché (facultatif)

4 c. à s. de pâte de curry korma

800 g de tomates concassées
en conserve

300 ml de bouillon d'agneau
ou de poulet

2 pommes de terre avec la peau,
coupées en gros cubes

50 g de coriandre fraîche
grossièrement hachée

150 ml de yaourt nature

• Faites chauffer l'huile dans une sauteuse, puis faites revenir l'oignon et l'agneau 5 minutes à feu vif, en remuant, pour que la viande soit bien dorée.

• Ajoutez le piment, si vous en mettez, et faites cuire 1 minute. Ajoutez la pâte de curry et faites revenir le tout pendant 2 minutes. Ajoutez les tomates, le bouillon et les pommes de terre, et portez à ébullition. Baissez le feu, couvrez et laissez frémir 10 minutes. Ôtez le couvercle et poursuivez la cuisson 10 minutes pour que l'agneau et les pommes de terre soient cuits.

• Hors du feu, ajoutez la coriandre et le yaourt, puis servez.

10 MINUTES

Curry de poulet et naans
Faites chauffer 1 c. à s. d'huile végétale dans une sauteuse et faites cuire 3 blancs de poulet de 175 g chacun, à feu vif, pendant 3 minutes. Ajoutez 400 g de pâte de curry korma et 1 tomate hachée, et portez à ébullition. Ajoutez 200 g de jeunes pousses d'épinard, baissez le feu, couvrez et laissez frémir 5 minutes environ. Servez sur des naans dorés.

20 MINUTES

Curry de poulet et pommes de terre Faites chauffer 2 c. à s. d'huile végétale dans une sauteuse et faites revenir 3 blancs de poulet de 175 g chacun, émincés, avec 8 pommes de terre nouvelles coupées en fines rondelles, pendant 5 minutes, à feu vif, en remuant. Ajoutez 4 c. à s. de pâte de curry korma et faites cuire 1 minute. Incorporez 400 g de tomates concassées en conserve et 400 ml de lait de coco. Portez à ébullition puis baissez le feu et faites cuire 10 minutes, en remuant. Garnissez de coriandre fraîche, puis servez.

20 MINUTES

Burgers aux champignons et salsa de concombre

Pour 4 personnes

500 g de bœuf haché

1 c. à c. de paprika fumé

4 oignons de printemps émincés

1 jaune d'œuf

1 c. à c. de moutarde en poudre, préparée

1 c. à s. d'huile d'olive

4 champignons de Paris nettoyés et émincés

4 petits pains complets

4 tranches d'emmental ou de gruyère

Pour la salsa

¼ de concombre grossièrement haché

2 c. à s. de coriandre fraîche hachée

poivre

- Mettez la viande hachée dans un saladier avec le paprika, les oignons de printemps, le jaune d'œuf et la moutarde. Mélangez avec une fourchette puis formez 4 galettes.

- Faites cuire les galettes 10 minutes sous le gril du four préchauffé, en les retournant 1 fois.

- Faites chauffer l'huile d'olive dans une sauteuse et faites cuire les champignons 5 minutes à feu vif, en remuant, jusqu'à ce qu'ils soient bien dorés. Préparez la salsa en mélangeant le concombre et la coriandre, poivrez.

- Coupez chaque pain en deux dans l'épaisseur, garnissez avec 1 galette, 1 tranche de fromage, quelques champignons et 1 cuillerée de salsa.

10 MINUTES

Miniburgers rapides Mélangez 300 g de bœuf haché maigre avec 50 g de chapelure de pain complet, 50 g de carottes râpées, 1 petit oignon râpé, 1 gousse d'ail écrasée, 1 poignée de persil haché et 2 c. à c. de sauce Worcestershire. Façonnez 8 galettes avec la préparation et faites-les cuire 3 minutes de chaque côté sous le gril du four préchauffé. Servez dans des petits pains complets grillés, avec 1 cuillerée de salsa de tomates.

30 MINUTES

Burgers aux champignons et beurre d'estragon Mélangez 125 g de beurre très mou avec 2 c. à s. de moutarde de Dijon, 1 c. à s. d'estragon haché, le jus de ½ citron, du sel et du poivre. Posez 4 gros champignons dans un plat, garnissez-les de beurre à l'estragon et d'un peu d'huile d'olive. Couvrez de papier d'aluminium et enfournez dans un four préchauffé à 200 °C pour 20 à 25 minutes, en les arrosant de jus régulièrement.

Mélangez 500 g de bœuf haché, 2 oignons de printemps hachés, 1 jaune d'œuf, du sel et du poivre. Formez 4 galettes et faites-les cuire sous le gril préchauffé pendant 10 minutes, en les retournant 1 fois. Servez chaque galette dans un petit pain complet grillé, avec 1 tranche d'emmental ou de gruyère et 1 champignon au beurre d'estragon. Accompagnez de salade verte.

30 MINUTES

Poulet cajun et quinoa aux abricots secs

Pour 4 personnes

600 ml de bouillon de poulet

100 g de quinoa

100 g d'abricots secs coupés
   en morceaux

3 blancs de poulet de 175 g
   chacun, coupés en fines lamelles

2 c. à c. de mélange d'épices cajun

2 c. à s. d'huile d'olive

2 oignons rouges coupés
   en fines lamelles

2 bottes d'oignons de printemps,
   hachés

6 c. à s. de coriandre fraîche hachée

Pour servir

yaourt à la grecque

pain croustillant (facultatif)

- Portez le bouillon à ébullition dans une casserole, ajoutez le quinoa et laissez frémir 10 minutes. Ajoutez les abricots et poursuivez la cuisson 5 minutes.

- Mélangez les lamelles de poulet et les épices pour bien les enrober. Faites chauffer l'huile d'olive dans une sauteuse, puis faites cuire le poulet et les lamelles d'oignon rouge 10 minutes, à feu moyen, en remuant. Ajoutez les oignons de printemps et faites cuire 1 minute.

- Égouttez le quinoa et les abricots, puis mélangez-les avec le poulet. Parsemez de coriandre hachée et servez avec du yaourt à la grecque et du pain croustillant.

10 MINUTES

Poulet et lentilles aux abricots frais Faites chauffer 1 c. à s. d'huile d'olive dans une poêle et faites revenir 1 oignon rouge haché 5 minutes, à feu moyen. Ajoutez 4 c. à s. de vinaigre de vin rouge, faites chauffer 30 secondes, puis incorporez 250 g de lentilles du Puy cuites, 4 abricots frais coupés en morceaux, 4 c. à s. de coriandre hachée et 4 c. à s. de menthe hachée. Ajoutez 4 blancs de poulet cuits de 150 g chacun, effilochés, et faites chauffer 1 minute. Mélangez avec 50 g de roquette, puis servez.

20 MINUTES

Poulet laqué et quinoa aux abricots frais Faites bouillir 600 ml de bouillon de poulet, ajoutez 100 g de quinoa et laissez frémir 15 minutes. Mélangez 3 c. à s. de marmelade avec 4 c. à c. de moutarde à l'ancienne. Coupez en lamelles 4 blancs de poulet de 150 g chacun, disposez-les dans un plat et badigeonnez-les avec la moitié de la marmelade. Enfournez pour 4 à 5 minutes sous le gril du four, retournez-les, badigeonnez-les avec le reste de la marmelade et poursuivez la cuisson 4 à 5 minutes. Dénoyautez et coupez

4 abricots frais en morceaux, mélangez-les avec 4 oignons de printemps hachés, 3 c. à s. de vinaigre de vin blanc et 1 c. à c. de cumin moulu. Égouttez le quinoa cuit, incorporez-le à la préparation et servez avec le poulet, garni de quelques oignons de printemps frais hachés.

Canard sauté, pois gourmands et riz à l'orange

20 MINUTES

Pour 4 personnes

200 g de riz long grain
2 c. à s. d'huile de sésame
1 oignon rouge coupé
  en fins quartiers
4 filets de canard avec la peau,
  de 150 g chacun, coupés
  en tranches épaisses
1 botte d'oignons de printemps,
  coupés en tronçons de 2,5 cm
175 g de pois gourmands
le jus et le zeste finement râpé
  de 1 orange
2 c. à s. de sauce soja foncée
1 c. à s. de sucre roux
sel

- Faites cuire le riz 15 minutes dans une casserole d'eau bouillante salée. Égouttez-le et réservez-le au chaud.

- Faites chauffer l'huile de sésame dans un wok ou une sauteuse, à feu moyen, et faites sauter l'oignon pendant 5 minutes. Ajoutez le canard et poursuivez la cuisson 5 minutes, pour qu'il soit presque cuit. Ajoutez les oignons de printemps et les pois gourmands, et faites sauter 2 minutes.

- Ajoutez le riz et remuez. Mélangez le jus et le zeste d'orange avec la sauce soja et le sucre, puis versez dans le wok, en mélangeant bien. Servez sans attendre dans des assiettes chaudes.

10 MINUTES

Canard et nouilles chinoises
Faites chauffer 2 c. à s. d'huile de sésame dans un wok ou une sauteuse et faites revenir 4 filets de canard de 150 g chacun, coupés en tranches épaisses, pendant 5 minutes. Ajoutez 1 botte d'oignons de printemps, en tronçons de 2,5 cm, et 175 g de pois gourmands, et faites sauter 2 minutes à feu vif. Incorporez 300 g de nouilles de riz chinoises toutes prêtes et 6 c. à s. de sauce hoisin. Réchauffez pendant 2 minutes.

30 MINUTES

Canard à l'orange Faites chauffer 1 c. à s. d'huile de sésame dans un wok ou une sauteuse. Faites cuire 4 filets de canard de 150 g chacun, à feu vif, pendant 5 minutes côté peau, puis 2 minutes côté chair. Mettez-les dans un plat. Faites chauffer 3 c. à s. de marmelade d'oranges et 3 c. à s. de jus d'orange, puis versez sur le canard. Faites cuire au four préchauffé à 200 °C pendant 15 minutes. Pendant ce temps, faites cuire 200 g de riz long grain à l'eau bouillante. Égouttez-le. Faites chauffer 2 c. à s. d'huile de sésame dans le wok ou la sauteuse nettoyé. Ajoutez 1 botte d'oignons de printemps, hachés, et 175 g de pois gourmands, et faites sauter 2 minutes, à feu vif. Ajoutez le riz et mélangez. Servez avec le canard.

20 MINUTES

Filet d'agneau, sauce aux champignons et aux épinards

Pour 4 personnes

2 c. à s. d'huile d'olive
2 morceaux de collier d'agneau
de 250 g chacun

Pour la sauce

15 g de beurre
250 g de champignons de Paris
parés et coupés en deux
100 g de champignons
de Paris parés
1 petit oignon rouge finement
haché
½ c. à c. de paprika
3 c. à s. de cognac
300 ml de crème liquide
250 g de pousses d'épinard

• Faites chauffer 1 cuillerée à soupe d'huile d'olive dans une sauteuse et saisissez l'agneau à feu vif, en le retournant souvent, pendant 1 à 2 minutes. Baissez le feu et poursuivez la cuisson, en le retournant 1 fois, pendant que vous préparez la sauce.

• Faites fondre le beurre avec le reste de l'huile dans une autre sauteuse et faites-y revenir les champignons et l'oignon à feu vif, en remuant, pendant 5 minutes. Ajoutez le paprika et poursuivez la cuisson 1 minute. Incorporez le cognac et faites cuire quelques secondes, jusqu'à évaporation. Hors du feu, ajoutez la crème et les épinards.

• Remettez la sauteuse sur le feu, mélangez et faites chauffer 3 à 4 minutes à feu doux, jusqu'à ce que les épinards se flétrissent.

• Coupez l'agneau en tranches épaisses, disposez-les sur des assiettes chaudes, puis garnissez de sauce aux champignons et aux épinards.

10 MINUTES

Steaks d'agneau aux champignons à la crème Faites cuire 4 steaks d'agneau de 150 g chacun sous le gril préchauffé, 4 à 5 minutes de chaque côté. Faites chauffer 3 c. à s. de cognac avec 300 g de champignons de Paris en conserve pendant 3 minutes dans une casserole, jusqu'à ébullition. Baissez le feu, ajoutez 300 ml de crème liquide et faites chauffer le tout en remuant. Nappez les steaks de sauce avant de servir.

30 MINUTES

Boulettes d'agneau, sauce champignons-épinards Mélangez 500 g d'agneau haché avec 2 c. à c. de pâte d'ail et ½ c. à c. de paprika, puis façonnez 12 boulettes. Faites cuire les boulettes dans une sauteuse bien chaude, à feu moyen, en les retournant. Préparez la sauce aux champignons et aux épinards comme ci-dessus. Servez les boulettes nappées de sauce.

30 MINUTES

Paella au poulet et aux crevettes

Pour 4 personnes

2 c. à s. d'huile d'olive
2 blancs de poulet de 150 g
chacun, coupés en fines lamelles
1 gros oignon rouge émincé
100 g de chorizo haché
1 poivron rouge haché
1 poivron vert haché
2 c. à c. de paprika fumé
quelques filaments de safran
250 g de riz arborio pour risotto
900 ml de bouillon de poulet chaud
4 tomates coupées en morceaux
125 g de haricots verts parés
100 g de petits pois surgelés
200 g de grosses crevettes
cuites décortiquées
sel et poivre

- Faites chauffer l'huile d'olive dans une sauteuse, puis faites cuire le poulet et l'oignon à feu moyen, en remuant, pendant 5 minutes, pour que le poulet soit bien doré et l'oignon tendre. Ajoutez le chorizo et les poivrons, et faites cuire 3 minutes, en remuant.

- Incorporez le paprika et le safran, mélangez bien puis ajoutez le riz et remuez pour l'enrober du mélange. Salez et poivrez. Versez le bouillon et les tomates, et portez à ébullition. Baissez le feu, couvrez et laissez frémir 10 minutes, en remuant de temps en temps, jusqu'à ce que le riz soit tendre. Ajoutez de l'eau ou du bouillon si nécessaire.

- Ajoutez les haricots, les petits pois et les crevettes, et poursuivez la cuisson 5 minutes. Servez sans attendre.

10 MINUTES

Riz au poulet et aux crevettes
Faites chauffer 2 c. à s. d'huile d'olive dans une poêle et faites cuire 2 blancs de poulet de 150 g chacun, coupés très finement, avec 100 g de chorizo haché et 1 poivron rouge coupé en morceaux, pendant 5 à 6 minutes, en remuant. Ajoutez 500 g de riz long grain cuit, 4 tomates fraîches coupées en morceaux, 100 g de petits pois surgelés et 100 g de crevettes cuites décortiquées, et faites sauter 3 minutes à feu vif. Servez garni de persil haché.

20 MINUTES

Risotto au poulet et aux crevettes Mettez 250 g de riz arborio ou de riz à paella dans une sauteuse, avec quelques filaments de safran, ½ c. à c. de sel et 1 c. à s. d'huile d'olive. Faites cuire 1 minute à feu moyen, en remuant. Ajoutez 1,2 litre de bouillon de poulet chaud et portez à ébullition. Baissez le feu, couvrez et laissez frémir 15 minutes. Dans une autre sauteuse, faites cuire 1 poivron rouge épépiné et coupé en morceaux avec 1 oignon haché, 100 g de chorizo et 2 blancs de poulet de 150 g chacun, coupés en lamelles, pendant 10 minutes, en remuant. Incorporez 1 c. à c. de paprika fumé puis mélangez avec la préparation au riz, en ajoutant 175 g de petits pois décongelés et 100 g de crevettes cuites décortiquées. Faites chauffer le tout 5 minutes, poivrez bien et servez avec du parmesan râpé, si vous le souhaitez.

Porc laqué au miel et purée aux épinards

Pour 4 personnes

1 c. à s. de miel liquide
1 c. à s. de moutarde à l'ancienne
4 côtes de porc de 175 g chacune
100 g de purée de pommes
  de terre instantanée
3 c. à s. de crème fraîche
50 g de beurre
200 g d'épinards frais
poivre

- Mélangez le miel et la moutarde, et badigeonnez les côtes de porc de cette préparation. Faites-les cuire sous le gril du four préchauffé, pendant 3 à 4 minutes de chaque côté.

- Préparez la purée en suivant les instructions sur l'emballage. Poivrez et incorporez la crème fraîche. Faites fondre le beurre dans une sauteuse et faites cuire les épinards 2 minutes, à feu moyen, jusqu'à ce qu'ils se flétrissent.

- Mélangez les épinards avec la purée et servez avec les côtes de porc.

20 MINUTES

Porc à la crème et à la moutarde

Faites chauffer 2 c. à s. d'huile d'olive dans une sauteuse, puis faites cuire 4 steaks de porc coupés en fines lamelles et 2 oignons rouges en quartiers fins, à feu moyen, pendant 7 à 8 minutes, en remuant. Ajoutez 150 ml de jus de pomme non filtré, portez à ébullition et laissez bouillir 2 minutes, jusqu'à ce que le liquide ait réduit de moitié. Ajoutez 200 ml de crème fraîche et 1 c. à s. de moutarde à l'ancienne, salez et poivrez. Faites chauffer 2 à 3 minutes, puis incorporez 3 c. à s. de persil haché. Servez avec de la purée.

30 MINUTES

Tarte au porc et aux pommes

Faites chauffer 1 c. à s. d'huile végétale dans une sauteuse et faites cuire 500 g de porc haché avec 1 oignon haché 10 minutes, à feu moyen, en remuant. Ajoutez 270 g de compote de pommes et 3 c. à s. de sauge hachée, et faites cuire 5 minutes, en remuant de temps en temps. Salez et poivrez, puis versez dans un plat à gratin. Faites fondre 25 g de beurre dans une casserole et faites cuire 200 g d'épinards 2 minutes à feu moyen, en remuant. Ajoutez 1 kg de purée de pommes de terre toute prête et mélangez. Versez sur la viande et faites dorer 5 minutes sous le gril du four préchauffé.

30 MINUTES

Brochettes de bœuf à l'asiatique

Pour 4 personnes

350 g de faux-filet de bœuf
6 c. à s. de sauce soja foncée
2 c. à s. d'huile de sésame
2 c. à s. de vinaigre de riz
1 c. à s. de sucre brun
2,5 cm de gingembre frais,
    pelé et finement râpé
1 gousse d'ail écrasée
crudités (carottes, pois
    gourmands, concombre)

Pour la sauce

6 c. à s. de beurre de cacahuète
    avec morceaux
3 c. à s. de sauce soja foncée
1 petit piment rouge haché
150 ml d'eau bouillante

- Coupez la viande en longues lamelles fines. Mélangez la sauce soja, l'huile de sésame, le vinaigre, le sucre, le gingembre et l'ail dans un bol non métallique. Ajoutez la viande et mélangez pour l'enrober. Couvrez et laissez mariner 15 minutes.

- Faites chauffer les ingrédients de la sauce à feu doux dans une casserole, en remuant avec une cuillère en bois, jusqu'à obtenir une sauce onctueuse et épaisse. Versez-la dans un bol et posez-le sur un plateau, avec les crudités.

- Piquez le bœuf sur 8 brochettes en métal ou en bambou (trempées dans l'eau pendant 30 minutes) et faites-le cuire sous le gril du four préchauffé, 2 minutes de chaque côté.

- Servez sans attendre, avec la sauce et les crudités.

10 MINUTES

Bœuf teriyaki en coupelles de salade Coupez 350 g de faux-filet de bœuf en fines lamelles et mélangez-les avec 2 c. à s. de sauce teriyaki. Coupez ½ concombre en dés et mélangez-les avec 2 c. à s. de coriandre hachée, 1 c. à c. de flocons de piment séché et le jus de 1 citron vert. Faites chauffer 1 c. à c. d'huile végétale dans une poêle et faites cuire les lamelles de faux-filet à feu vif, 1 minute de chaque côté. Garnissez 8 feuilles de sucrine de dés de concombre de lamelles de bœuf et d'oignons de printemps hachés.

20 MINUTES

Brochettes de dinde à l'asiatique Piquez 500 g d'escalopes de dinde coupées en dés sur 8 brochettes en métal, en alternant avec les morceaux de 1 poivron rouge et de 250 g d'ananas frais (conservez le jus). Mélangez 200 ml de crème de coco avec 145 g de sauce satay toute prête et le jus d'ananas. Nappez chaque brochette avec 2 c. à s. de sauce. Faites-les cuire 2 minutes de chaque côté sous le gril du four préchauffé. Faites chauffer le reste de la sauce et ajoutez 20 g de coriandre

fraîche. Servez les brochettes sur des nouilles aux œufs cuites, avec la sauce bien chaude et du basilic frais.

 **MINUTES**

Agneau et légumes grillés

Pour 4 personnes

1 c. à s. d'huile d'olive

8 côtelettes d'agneau

1 aubergine parée et coupée en dés

1 gros oignon rouge coupé
   en morceaux

2 courgettes parées
   et coupées en morceaux

1 poivron rouge épépiné
   et coupé en morceaux

1 poivron jaune épépiné
   et coupé en morceaux

375 g de tomates coupées
   en quartiers

1 c. à c. de cumin moulu

1 c. à c. de coriandre moulue

400 g de pois chiches en conserve

3 c. à s. de graines de courge

- Faites chauffer l'huile d'olive dans une sauteuse et saisissez les côtelettes d'agneau à feu vif, 1 minute de chaque côté. Mettez-les dans un plat à gratin (laissez le jus de cuisson dans la sauteuse) et enfournez au four préchauffé à 220 °C.

- Mettez l'aubergine, l'oignon, les courgettes et les poivrons dans la sauteuse et faites cuire 5 minutes à feu vif, en remuant. Ajoutez les tomates et poursuivez la cuisson 2 minutes.

- Mettez les légumes dans le plat à gratin avec la viande, ajoutez les épices et les pois chiches égouttés, et mélangez. Enfournez sur la grille la plus haute et faites cuire 10 minutes, jusqu'à ce que l'agneau soit cuit.

- Parsemez de graines de courge avant de servir.

10 MINUTES

Agneau et légumes à la marocaine Faites chauffer 1 c. à s. d'huile d'olive dans une sauteuse et faites cuire 375 g de collier d'agneau coupé en fines lamelles, avec 1 poivron rouge et 1 poivron jaune épépinés et coupés en morceaux, et 2 courgettes parées et coupées en morceaux, à feu vif, pendant 8 minutes, en remuant. Ajoutez un peu de pâte d'ail, 1 c. à c. de cumin moulu, 1 c. à c. de coriandre moulue et 400 g de tomates concassées en boîte, et remuez pendant 2 minutes.

30 MINUTES

Agneau et légumes au pesto
Préparez la recette ci-dessus, mais ajoutez du pesto fait maison au lieu du cumin et de la coriandre. Dans un robot, mixez 1 poignée de feuilles de basilic, 3 c. à s. d'huile d'olive, le jus de 1 citron, 25 g de parmesan fraîchement râpé et 75 g de pignons pour obtenir une pâte homogène. Mélangez le pesto avec la viande, les légumes et les pois chiches, et faites cuire comme ci-dessus.

30 MINUTES

Boulettes de dinde aux herbes et tomates

Pour 4 personnes

500 g de dinde hachée
50 g de chapelure fraîche
4 oignons de printemps émincés
1 c. à s. de paprika
6 c. à s. de persil haché
2 c. à s. d'huile d'olive
1 oignon finement haché
800 g de tomates concassées
   en conserve
3 c. à s. de pâte de tomate séchée
2 c. à s. de ciboulette ciselée
poivre
nouilles ou riz cuits ou purée
   de pommes de terre pour servir

- Mélangez à la fourchette la dinde hachée avec la chapelure, les oignons de printemps, le paprika et la moitié du persil. Façonnez 20 à 24 boulettes avec cette préparation.

- Faites chauffer 1 cuillerée à soupe d'huile d'olive dans une grande poêle et faites cuire les boulettes à feu moyen pendant 20 minutes, en les retournant, pour qu'elles soient bien dorées.

- Pendant ce temps, faites chauffer la dernière cuillerée d'huile dans une autre poêle et faites revenir l'oignon 2 à 3 minutes, à feu moyen. Ajoutez les tomates et la pâte de tomate séchée, et poivrez bien. Portez à ébullition sans cesser de remuer, puis baissez le feu et laissez frémir 10 minutes pour que la sauce réduise et épaississe.

- Incorporez le persil restant et la ciboulette à la sauce, puis versez-la sur les boulettes. Servez avec du riz, des nouilles ou de la purée de pommes de terre.

10 MINUTES

Boulettes de pois chiches aux herbes Dans un robot, mixez 75 g de parmesan râpé, 50 g de chapelure fraîche, 1 œuf, 400 g de pois chiches en conserve égouttés, 2 gousses d'ail, 1 c. à c. d'origan séché et quelques feuilles de basilic. Façonnez 16 boulettes. Faites chauffer 2 c. à s. d'huile d'olive dans une poêle et faites cuire les boulettes 5 à 6 minutes. Réchauffez 350 g de sauce arrabiata pour pâtes. Servez les boulettes avec des pâtes et la sauce.

20 MINUTES

Boulettes à la marocaine Faites chauffer 1 c. à s. d'huile d'olive dans une sauteuse et faites cuire 350 g de boulettes de bœuf toutes prêtes pendant 10 minutes. Réservez. Faites revenir 1 gros oignon émincé dans la sauteuse pendant 5 minutes. Ajoutez 100 g d'abricots secs hachés, 1 c. à c. de cannelle moulue, ½ c. à c. de cumin moulu et 400 g de tomates concassées à l'ail. Ajoutez les boulettes, portez à ébullition puis laissez frémir 5 minutes. Servez sur du couscous nature, parsemé de coriandre fraîche et de 1 poignée d'amandes effilées grillées.

Escalopes de porc au prosciutto

Pour 4 personnes

4 escalopes de filet de porc
  de 275 g chacune
1 œuf battu
100 g de chapelure fraîche
2 c. à s. de persil haché
4 c. à s. d'huile d'olive
4 fines tranches de prosciutto
4 fines tranches de gruyère
poivre

Pour servir (facultatif)

salade verte
pain croustillant

- Placez les escalopes entre 2 morceaux de film alimentaire huilés et aplatissez-les avec un rouleau à pâtisserie pour que leur épaisseur réduise de moitié et qu'elles doublent de taille. Versez l'œuf battu dans une assiette creuse. Mélangez la chapelure et le persil sur une autre assiette, poivrez.

- Trempez les escalopes dans l'œuf puis dans la chapelure.

- Faites chauffer l'huile d'olive dans une sauteuse et faites cuire les escalopes à feu vif, 1 à 2 minutes de chaque côté, jusqu'à ce que la chapelure soit légèrement dorée ; procédez en plusieurs fois si nécessaire. Posez les escalopes sur une plaque, disposez 1 tranche de prosciutto et 1 tranche de gruyère sur chacune.

- Faites cuire au four préchauffé à 200 °C pendant 10 minutes, jusqu'à ce que le fromage soit fondu. Servez avec une salade verte et du pain croustillant.

10 MINUTES

Escalopes de porc à la sauge et à la moutarde Aplatissez 4 escalopes de filet de porc de 275 g chacune. Enroulez chacune d'elles dans 1 tranche de lard fumé sans couenne, avec 2 feuilles de sauge, et fixez avec une pique en bois. Mélangez 2 c. à s. d'huile d'olive, 1 c. à s. de miel liquide, 2 c. à c. de vinaigre de vin blanc, 2 c. à c. de moutarde à l'ancienne et 1 c. à c. de sauce Worcestershire. Faites chauffer 1 c. à s. d'huile d'olive dans une poêle et faites cuire les escalopes à feu vif, 3 minutes de chaque côté, en les arrosant de sauce.

20 MINUTES

Escalopes de porc croustillantes aux 2 fromages Aplatissez 4 escalopes de filet de porc de 275 g chacune. Poivrez. Mélangez 4 c. à s. de chapelure fraîche, 75 g de gruyère râpé, 30 g de beurre fondu et 1 c. à s. de ciboulette ciselée. Faites cuire les escalopes sous le gril du four préchauffé, 3 minutes d'un côté. Retournez-les et garnissez-les de 175 g de fromage de chèvre frais. Parsemez de chapelure au gruyère et faites griller 3 à 4 minutes. Servez avec de la ciboulette et des haricots verts au beurre.

Rouelles glacées aux oignons caramélisés

Pour 4 personnes

1 c. à s. d'huile d'olive

4 rouelles de porc de 100 g chacune

15 g de beurre

2 oignons émincés

2 c. à c. de feuilles de thym

4 c. à s. de marmelade à gros morceaux

1 c. à s. de moutarde à l'ancienne

300 ml de bouillon de poulet chaud

purée de pommes de terre instantanée pour servir (facultatif)

· Faites chauffer l'huile d'olive dans une sauteuse et faites cuire les rouelles 5 minutes à feu vif, en les retournant 1 fois. Retirez-les avec une écumoire et réservez au chaud.

· Faites fondre le beurre dans la sauteuse, ajoutez les oignons et le thym, et poursuivez la cuisson 15 minutes, à feu doux, en remuant, pour que les oignons commencent à caraméliser. Ajoutez la marmelade, la moutarde et le bouillon. Portez à ébullition, puis laissez frémir 2 à 3 minutes, jusqu'à épaississement.

· Remettez les rouelles dans la poêle et laissez frémir 3 minutes, pour que la sauce épaississe et devienne collante. Servez avec de la purée.

---

10 MINUTES

Lard fumé et oignons caramélisés Faites chauffer 1 c. à s. d'huile d'olive dans une sauteuse et faites cuire 12 tranches de lard fumé, coupées en gros morceaux, avec 2 oignons émincés, 4 minutes à feu vif, pour que le lard soit bien grillé. Mélangez 3 c. à s. de marmelade et 3 c. à s. de jus d'orange avec 1 c. à c. de moutarde à l'ancienne et 1 c. à c. de feuilles de thym. Versez dans la sauteuse et faites cuire 2 minutes, en remuant. Servez ce mélange sur des pommes de terre cuites au four ou sur d'épaisses tranches de pain beurrées. Garnissez de fromage râpé.

20 MINUTES

Rouelles de porc caramélisées Coupez 4 rouelles de porc de 100 g chacune en fines lamelles. Faites fondre 15 g de beurre avec 1 c. à s. d'huile d'olive dans une sauteuse. Faites-y cuire les rouelles de porc, avec 2 oignons émincés, 1 poivron orange épépiné et coupé en lamelles, et 2 c. à c. de thym, pendant 8 à 10 minutes. Ajoutez 100 g de pois mange-tout et faites cuire 2 minutes, en remuant de temps en temps. Mélangez 2 c. à s. de marmelade et 2 c. à s. de jus d'orange avec 1 c. à s. de sauce soja foncée. Versez le mélange obtenu dans la sauteuse et faites revenir 1 à 2 minutes, pour que la sauce soit bien chaude et enrobe tous les ingrédients. Servez avec du riz long grain bien chaud.

20 MINUTES — Bœuf rendang à la noix de coco

Pour 4 personnes

250 g de riz jasmin (facultatif)
2 c. à s. d'huile végétale
1 c. à s. de gingembre frais
   finement râpé
1 piment oiseau émincé
1 gousse d'ail émincée
1 âton de citronnelle émincé
500 g de steak coupé en lamelles
½ c. à c. de cannelle moulue
1 pincée de curcuma moulu
le jus de 1 citron vert
400 ml de lait de coco
4 c. à s. de coriandre fraîche
   hachée

- Faites cuire le riz en suivant les indications du paquet.

- Faites chauffer l'huile dans une sauteuse ou un wok et faites revenir le gingembre, le piment, l'ail et la citronnelle 1 à 2 minutes, à feu moyen, pour qu'ils soient tendres mais pas dorés. Ajoutez la viande et faites sauter 5 minutes à feu vif pour qu'elle soit dorée et bien cuite.

- Ajoutez la cannelle et le curcuma, faites chauffer quelques secondes puis versez le jus et le lait de coco. Faites chauffer doucement 2 à 3 minutes.

- Garnissez de coriandre hachée et servez sans attendre, avec le riz.

10 MINUTES

Brochettes de bœuf à la thaïlandaise Coupez 500 g de filet de bœuf en morceaux et piquez-les sur 8 brochettes en métal, en alternant avec les morceaux de 2 poivrons rouges. Mélangez 4 c. à s. de pâte de curry rouge thaïe et 200 ml de crème de coco. Nappez les brochettes de cette sauce. Faites-les cuire sous le gril du four préchauffé, 3 à 4 minutes de chaque côté. Servez avec des pains pita chauds.

30 MINUTES

Brochettes de bœuf à la crème de coco Coupez 500 g de filet de bœuf en morceaux. Aplatissez légèrement la viande et la base de 4 bâtons de citronnelle avec un rouleau à pâtisserie. Entaillez le haut et le bas des morceaux de viande avec un couteau et piquez-les sur les bâtons pour former des brochettes. Mélangez 4 c. à s. de pâte de curry rouge ou vert thaïe avec 200 ml de crème de coco et nappez-en les brochettes. Réservez. Faites cuire 250 g de riz thaï parfumé selon les indications du paquet, en ajoutant 10 feuilles de kaffir séchées au début de la cuisson. Faites cuire les brochettes sous le gril du four préchauffé, 3 à 4 minutes de chaque côté. Servez-les avec du riz et du bok choy sauté.

Filet de porc farci
aux fruits et au romarin

Pour 4 personnes

2 filets de porc de 250 à 300 g chacun

3 c. à s. de feuilles de romarin hachées

3 c. à s. d'huile d'olive

1 oignon finement haché

2 pêches fraîches dénoyautées et coupées en morceaux

½ c. à c. de coriandre moulue

1 pincée de cumin moulu

poivre

- Posez les filets de porc sur une planche à découper et entaillez-les dans la longueur, en vous arrêtant à 1,5 cm de l'autre côté, puis ouvrez-les. Garnissez de feuilles de romarin, à l'intérieur et à l'extérieur, et poivrez généreusement.

- Faites chauffer 2 c. à s. d'huile d'olive dans une grande poêle et faites revenir l'oignon à feu moyen, pendant 4 minutes. Ajoutez les pêches et les épices, et faites chauffer 1 minute.

- Garnissez les filets avec cette préparation et refermez-les délicatement en maintenant les bords avec de la ficelle de cuisine, en plusieurs endroits.

- Faites chauffer le reste de l'huile dans la poêle nettoyée et faites cuire la viande 20 minutes, à feu doux, en la retournant souvent et en couvrant la poêle pour les 5 à 10 dernières minutes.

- Coupez les filets en tranches, puis servez.

10 MINUTES

Steaks de porc aux fruits

Mélangez le jus de 3 oranges avec 1 c. à s. de feuilles de romarin hachées et 2 gousses d'ail écrasées. Badigeonnez 4 steaks de filet de porc de 150 g chacun avec la préparation. Faites chauffer 1 c. à s. d'huile d'olive dans une poêle et faites cuire les steaks à feu vif, 3 minutes de chaque côté. Servez avec du couscous nature, des quartiers de citron et le jus de cuisson.

20 MINUTES

Steaks de porc grillés

Badigeonnez 4 steaks de porc de 150 g chacun avec un peu d'huile d'olive, salez et poivrez. Disposez-les sur une plaque de cuisson. Ajoutez 2 pêches mûres dénoyautées et coupées en morceaux, un peu de beurre, 1 pincée de flocons de piment séché et 2 c. à c. de sucre de canne muscovado. Faites cuire 15 minutes sous le gril du four préchauffé, en retournant les steaks 1 fois à mi-cuisson, pour que la viande soit dorée et cuite, et les pêches bien molles et caramélisées. Nappez la viande avec le jus de cuisson avant de servir.

30 MINUTES

Poulet poché
à la sauce au curry rouge

Pour 4 personnes

600 ml de bouillon de poulet

1 botte d'oignons de printemps, hachés

2,5 cm de gingembre frais, pelé et haché

1 poignée de tiges de coriandre fraîche

1 bâton de citronnelle haché

500 g de blancs de poulet coupés en cubes

riz jasmin cuit pour servir

Pour la sauce

1 c. à s. d'huile végétale

2 c. à s. de pâte de curry rouge thaïe

200 ml de crème de coco

4 c. à s. de coriandre hachée

2 c. à c. de sauce de poisson thaïe

- Portez à ébullition le bouillon avec 2 oignons de printemps hachés, le gingembre, les tiges de coriandre et la citronnelle dans une casserole. Baissez le feu et faites pocher le poulet 10 minutes. Sortez le poulet avec une écumoire et réservez-le (ce n'est pas gênant si quelques morceaux de légumes viennent avec). Filtrez le bouillon et conservez-en 150 ml.

- Pour la sauce, faites chauffer l'huile dans une sauteuse et faites cuire le reste des oignons de printemps finement hachés à feu moyen pendant 1 minute. Ajoutez la pâte de curry, mélangez et poursuivez la cuisson 1 minute. Ajoutez la crème de coco, mélangez et incorporez le bouillon réservé. Ajoutez la coriandre, la sauce de poisson et le poulet, mélangez bien. Faites chauffer 5 minutes, pour que la sauce épaississe un peu.

- Servez sur du riz jasmin, dans des bols chauds.

10 MINUTES

Curry de poulet à la noix de coco

Faites chauffer un grand wok ou une sauteuse et faites revenir 2 c. à s. de pâte de curry rouge thaïe avec un peu du lait de coco d'une boîte de 400 ml, pendant 1 minute. Versez le reste du lait de coco et laissez frémir. Ajoutez 4 blancs de poulet de 150 g chacun, coupés en fines lamelles, et 100 g de haricots verts, puis laissez frémir 5 minutes. Ajoutez 100 g de tomates cerises et poursuivez la cuisson 3 minutes. Servez avec du riz jasmin.

20 MINUTES

Curry de saumon thaï

Rincez 100 g de lentilles vertes, mettez-les dans une casserole et couvrez-les largement d'eau bouillante. Laissez frémir 15 minutes. Faites chauffer 1 c. à s. d'huile végétale dans une sauteuse et faites revenir 1 poivron rouge coupé en lamelles 2 minutes, à feu moyen. Ajoutez 4 filets de saumon sans peau de 150 g chacun, coupés en cubes, et remuez délicatement pendant 1 minute. Incorporez 100 g de pâte de curry rouge thaïe, 400 ml de lait de coco et 225 g de pois mange-tout. Laissez frémir 4 à 5 minutes. Égouttez les lentilles et mélangez-les avec le saumon. Parsemez de coriandre fraîche et servez avec du riz cuit à la vapeur.

Poissons & fruits de mer

Recettes par temps de préparation

10 MINUTES

20 MINUTES

Aiglefin en croûte de parmesan et salsa tomates-avocat

Pour 4 personnes

4 filets d'aiglefin de 175 g chacun, sans peau

le jus de ½ citron

50 g de parmesan fraîchement râpé

1 c. à c. de poivre noir moulu

roquette et quartiers de citron pour servir

Pour la salsa

1 avocat dénoyauté, pelé et coupé en gros dés

3 tomates en grappe coupées en gros dés

4 c. à s. de persil haché

2 c. à s. d'huile d'olive

poivre

- Disposez les filets d'aiglefin sur une assiette et nappez-les de jus de citron. Mélangez le parmesan et le poivre sur une autre assiette. Pressez les filets d'aiglefin dans la préparation, d'un seul côté, en appuyant bien.

- Posez les filets, côté garni sur le dessus, sur une grille recouverte d'aluminium et faites-les cuire 5 à 6 minutes sous le gril du four préchauffé.

- Pendant ce temps, mélangez les ingrédients de la salsa dans un saladier et poivrez généreusement.

- Servez les filets d'aiglefin chauds garnis de cuillerées de salsa, avec une salade de roquette et des quartiers de citron.

10 MINUTES

Aiglefin à la tapenade, salsa de tomates et olives

Posez 4 filets d'aiglefin sans peau, de 175 g chacun, sur une grille recouverte de papier d'aluminium et badigeonnez chacun de 1 c. à s. de tapenade d'olives noires. Faites-les cuire 5 à 6 minutes sous le gril du four préchauffé. Mélangez 1 avocat coupé en gros dés avec 3 tomates en grappe coupées en morceaux, 4 c. à s. de basilic haché, 1 poignée d'olives noires dénoyautées et 2 c. à s. d'huile d'olive dans un plat, poivrez. Servez la salsa avec le poisson.

30 MINUTES

Aiglefin en croûte de parmesan et légumes mijotés Faites chauffer 2 c. à s. d'huile d'olive dans une sauteuse, puis faites revenir 1 c. à c. de romarin haché et 1 feuille de laurier pendant 1 minute. Hachez finement 1 oignon, 1 grosse gousse d'ail, 1 bâton de céleri, 1 carotte et 4 petites courgettes parées, ajoutez-les dans la sauteuse et faites-les cuire 7 à 8 minutes. Ajoutez 400 g de pois chiches en conserve égouttés et 150 ml de bouillon de poisson, et laissez frémir 10 minutes. Faites cuire 4 filets d'aiglefin sans peau, de

175 g chacun, comme dans la recette ci-dessus. Incorporez le jus de ½ citron et 2 c. à s. de persil haché dans les légumes. Servez le poisson sur un lit de légumes.

20 MINUTES

Saumon aux légumes verts

Pour 4 personnes

1 c. à s. d'huile d'olive

1 poireau paré, nettoyé et émincé

275 ml de bouillon de poisson

200 ml de crème fraîche

125 g de petits pois surgelés

125 g de fèves de soja (edamame)
   ou de fèves surgelées

4 filets de saumon épais de 150 g
   chacun, sans peau

2 c. à s. de ciboulette ciselée

purée de pommes de terre
   pour servir

poivre

- Faites chauffer l'huile d'olive dans une sauteuse et faites revenir le poireau, à feu moyen, pendant 3 minutes, en remuant. Ajoutez le bouillon de poisson, portez à ébullition et laissez bouillir 2 minutes pour que le liquide réduise un peu. Ajoutez la crème fraîche et mélangez bien. Ajoutez les petits pois, les edamame ou les fèves et le saumon, et portez de nouveau à ébullition.

- Baissez le feu, couvrez et laissez frémir 10 minutes, pour que le poisson soit bien cuit et les fèves bien chaudes.

- Garnissez de ciboulette et servez sur de la purée onctueuse au beurre, avec du poivre du moulin.

10 MINUTES

Pâtes au saumon, à la crème et aux légumes verts Faites cuire 500 g de tagliatelles fraîches dans une grande casserole d'eau bouillante légèrement salée, puis égouttez-les. Faites fondre 1 c. à s. de beurre dans une sauteuse et faites cuire 2 filets de saumon sans peau de 150 g chacun, coupés en cubes, avec 50 g de petits pois surgelés, pendant 3 minutes à feu moyen. Ajoutez 16 asperges vertes parées et coupées en tronçons de 3,5 cm, 75 ml de bouillon de poisson et 275 ml de crème liquide, mélangez et poursuivez la cuisson 5 minutes. Ajoutez les pâtes, mélangez délicatement et servez garni de feuilles de basilic ou de persil.

30 MINUTES

Quiche au saumon et aux légumes verts Sur une pâte brisée toute prête, disposez 1 poireau émincé, 50 g de fèves surgelées, 50 g de petits pois surgelés, 2 c. à s. de ciboulette ciselée et 2 filets de saumon sans peau, de 150 g chacun, coupés en cubes de 1,5 cm de côté. Mélangez 2 gros œufs, 1 jaune d'œuf, 275 ml de crème fraîche, 1 pincée de piment de Cayenne et 1 pincée de noix de muscade râpée, et versez la préparation sur les légumes. Faites cuire 25 minutes au four préchauffé à 180 °C, jusqu'à ce que la quiche soit bien dorée.

 **MINUTES**

Poisson mijoté aux tomates

Pour 4 personnes

1 c. à s. d'huile d'olive

1 oignon émincé

1 gousse d'ail hachée

2 tomates coupées en morceaux

400 g de tomates en conserve

4 c. à s. de pâte de tomate séchée

150 ml de vin blanc

375 g de filets de poissons divers
    sans peau, coupés en morceaux

175 g de crevettes crues
    décortiquées

5 c. à s. de thym haché

75 g d'olives noires dénoyautées

poivre

pain croustillant chaud pour servir

- Faites chauffer l'huile d'olive dans une grande sauteuse, puis faites revenir l'oignon et l'ail à feu moyen, 3 à 4 minutes, en remuant, jusqu'à ce qu'ils soient tendres. Ajoutez les tomates fraîches et faites cuire 2 à 3 minutes, en remuant. Ajoutez ensuite les tomates en conserve, la pâte de tomate séchée et le vin. Portez à ébullition et faites cuire 5 minutes à feu vif, pour que la sauce épaississe.

- Incorporez les morceaux de poisson et les crevettes, baissez le feu et laissez frémir 7 à 8 minutes, pour que le poisson soit cuit et les crevettes bien roses. Ajoutez le thym et les olives, poivrez.

- Servez dans des bols chauds, avec du pain croustillant pour saucer.

10 MINUTES

Ragoût de poisson minute

Faites chauffer 1 c. à s. d'huile d'olive dans une sauteuse et faites revenir 1 oignon émincé avec un peu de pâte d'ail, 3 minutes à feu moyen, en remuant. Ajoutez 400 g de bisque de homard en conserve, 200 g de tomates concassées en conserve, 175 g de morceaux de filets de poissons divers et 175 g de crevettes cuites décortiquées. Faites revenir 7 minutes à feu vif. Servez avec du pain croustillant.

30 MINUTES

Curry de poisson Mélangez 1 c. à c. de graines de fenouil, 1 c. à c. de graines de cumin, 1 c. à c. de graines de coriandre, 1 c. à c. de cannelle moulue, ½ c. à c. de graines de fenugrec, ½ c. à c. de grains de poivre noir et 1 gousse d'ail. Faites griller 3 à 4 minutes au four, sur une plaque. Faites chauffer 1 c. à s. d'huile d'olive dans une sauteuse, puis faites revenir 1 oignon finement haché et 1 gousse d'ail hachée 3 à 4 minutes, à feu moyen. Ajoutez 2 tomates en morceaux, faites cuire 2 à 3 minutes. Ajoutez 400 g de tomates concassées en conserve, les épices grillées et 150 ml de bouillon de poisson. Portez à ébullition et laissez frémir 10 minutes à gros bouillons, sans couvrir. Incorporez 175 g de morceaux de filets de poissons divers sans peau et 175 g de crevettes cuites décortiquées. Couvrez et laissez cuire 7 à 8 minutes. Ajoutez 2 poignées de feuilles de coriandre fraîche ciselées et servez.

Beignets de cabillaud, mayonnaise au citron vert et aux câpres

Pour 4 personnes

100 g de farine
450 g de filets de cabillaud,
    sans peau, coupés en lamelles
250 g de chapelure
le zeste finement râpé
    de 2 citrons verts
1 c. à c. de grains de poivre noir pilés
2 œufs
150 ml d'huile végétale
sel et poivre

Pour la mayonnaise

200 ml de crème fraîche
6 c. à s. de mayonnaise
le zeste et le jus de 1 citron vert
2 c. à s. de câpres hachées
3 c. à s. de persil haché
1 c. à s. de ciboulette hachée

- Versez la farine sur une assiette, salez et poivrez généreusement. Enrobez les lamelles de poisson de farine et réservez-les. Versez la chapelure sur une autre assiette, ajoutez le zeste de citron vert et les grains de poivre pilés. Battez les œufs dans une assiette creuse.

- Faites chauffer l'huile dans une sauteuse. Pendant ce temps, trempez les morceaux de poisson dans l'œuf, puis passez-les dans la chapelure pour bien les enrober. Faites-les cuire 3 à 4 minutes à feu vif, en les retournant 1 fois, pour qu'ils soient bien dorés. Procédez en plusieurs fois. Retirez-les avec une écumoire et égouttez-les sur du papier absorbant.

- Pendant la cuisson du poisson, préparez la mayonnaise. Mélangez la crème fraîche et la mayonnaise. Incorporez les autres ingrédients et poivrez. Servez cette sauce avec les beignets de poisson bien chauds.

---

10 MINUTES

Cabillaud frit, mayonnaise au citron vert et aux câpres
Passez 4 filets de cabillaud de 175 g chacun dans 50 g de farine salée et poivrée. Faites chauffer 4 c. à s. d'huile d'olive dans une sauteuse et faites cuire le poisson 2 à 3 minutes de chaque côté, à feu moyen, pour qu'il soit bien doré et cuit. Préparez la mayonnaise comme dans la recette ci-dessus. Servez les filets de poisson bien chauds nappés de sauce.

30 MINUTES

Filets de cabillaud citron vert-piment et pommes de terre au four Passez 4 filets de cabillaud de 150 g chacun dans 50 g de farine salée et poivrée, trempez-les dans 2 œufs battus puis dans 125 g de chapelure fraîche mélangée avec 1 c. à c. de flocons de piment séché. Posez-les sur une plaque. Coupez 3 grosses pommes de terre à cuire au four en cubes, mélangez-les avec 2 c. à s. d'huile d'olive. Disposez-les entre les filets de poisson sur la plaque et faites cuire 20 minutes au four préchauffé à 200 °C, pour que tout soit cuit et bien doré. Préparez la mayonnaise au citron vert et aux câpres comme ci-dessus et servez-la en accompagnement.

30 MINUTES

Lotte au pesto
en robe de jambon de Parme

Pour 4 personnes

4 queues de lotte de 175 g
  chacune
2 c. à s. de pesto vert
4 tranches de jambon de Parme
2 c. à s. d'huile d'olive
500 g de tagliatelles fraîches
1 botte d'oignons de printemps,
  émincés
250 g de tomates cerises
  coupées en deux
200 g de jeunes pousses
  d'épinard
sel et poivre

- Badigeonnez les queues de lotte avec le pesto, d'un côté seulement, et entourez-les de 1 tranche de jambon de Parme, en serrant bien. Faites chauffer 1 cuillerée à soupe d'huile d'olive dans une sauteuse. Faites cuire les queues de lotte à feu moyen, 3 à 4 minutes avec la jointure du jambon dessous puis 3 à 4 minutes de l'autre côté. Mettez-les dans un plat et poursuivez la cuisson 10 minutes au four préchauffé à 200 °C.

- Faites cuire les tagliatelles 3 à 4 minutes dans de l'eau bouillante salée. Égouttez-les. Faites chauffer le reste de l'huile dans une casserole et faites revenir les oignons 1 à 2 minutes, à feu moyen, en remuant. Ajoutez les tomates cerises, mélangez et faites cuire 2 minutes, puis ajoutez les épinards et poursuivez la cuisson 1 minute, pour qu'ils se flétrissent. Incorporez les pâtes égouttées, salez et poivrez généreusement. Mélangez.

- Servez la lotte avec les tagliatelles, sur des assiettes chaudes.

10 MINUTES

Saumon grillé au pesto et au lard fumé Disposez 4 filets de saumon sans peau de 150 g chacun sur une plancha et badigeonnez chacun avec 1 c. à c. de pesto vert. Placez 4 tranches de lard fumé sans couenne à côté et faites cuire le tout 6 à 8 minutes. Le saumon doit changer de couleur et le lard devenir doré et croustillant. Servez les filets de saumon sur des assiettes chaudes, garnis de 1 tranche de lard fumé croustillant.

20 MINUTES

Brochettes de lotte et légumes au pesto Coupez 700 g de queues de lotte en morceaux de 2,5 cm. Piquez-les sur 4 brochettes en métal ou en bambou (trempées dans de l'eau), en alternant avec 12 tomates cerises, 2 courgettes coupées en cubes et 8 feuilles de laurier. Mélangez 2 c. à c. de pesto vert avec 2 c. à c. d'huile d'olive, nappez les brochettes de cette sauce. Faites-les cuire 15 minutes au barbecue ou sous le gril du four. Servez avec une salade verte et du pain croustillant.

Biryani indien aux fruits de mer

Pour 4 personnes

4 œufs

250 g de riz basmati

175 g de haricots verts coupés en tronçons

2 c. à s. d'huile végétale

2 oignons émincés

3 c. à s. de pâte de curry biryani

175 g de grosses crevettes cuites décortiquées

175 g de bâtonnets de surimi effilochés

6 c. à s. de coriandre fraîche hachée

150 g de yaourt nature mélangé avec 1 c. à c. de sauce à la menthe

- Portez à ébullition une grande casserole d'eau légèrement salée, puis faites cuire les œufs et le riz, ensemble, pendant 10 minutes. Sortez les œufs avec une écumoire. Ajoutez les haricots verts et poursuivez la cuisson 5 minutes, puis égouttez les haricots et le riz. Passez les œufs sous l'eau froide, écalez-les et hachez-les grossièrement.

- Pendant ce temps, faites chauffer l'huile dans une sauteuse et faites revenir les oignons 5 minutes, en remuant. Ajoutez la pâte de curry et faites revenir 1 minute de plus, en remuant. Ajoutez les crevettes et le surimi, et faites cuire 2 minutes.

- Incorporez le riz et les haricots verts égouttés, la coriandre, et faites sauter 1 minute. Ajoutez les œufs, mélangez délicatement et servez avec le yaourt à la menthe.

---

10 MINUTES

Pilaf de crevettes vite prêt

Faites chauffer 1 c. à s. d'huile végétale dans une poêle et faites cuire 1 petit oignon râpé, 2 courgettes râpées et 100 g de pâte de curry balti 3 minutes à feu moyen, en remuant. Ajoutez 200 g de petits pois surgelés, poursuivez la cuisson 2 minutes. Ajoutez 400 g de crevettes cuites décortiquées, mélangez et poursuivez la cuisson 2 minutes. Ajoutez 350 g de riz pilaf tout prêt et faites chauffer 2 minutes. Servez garni de 1 c. à c. de piment rouge finement haché et de feuilles de coriandre.

30 MINUTES

Biryani de saumon aux lentilles

Mélangez 3 c. à s. de pâte de curry biryani et 3 c. à s. de yaourt nature. Versez la sauce sur 4 steaks de saumon sans peau de 150 g chacun, couvrez et placez au réfrigérateur. Faites chauffer 1 c. à s. d'huile d'olive dans une sauteuse et faites revenir 1 oignon rouge haché 2 minutes, à feu moyen. Ajoutez 2 gousses d'ail écrasées, 1 petit piment rouge épépiné finement haché, 2 pincées de curcuma moulu, 1 petit bâton de cannelle, 1 étoile d'anis et les graines pilées de 4 capsules de cardamome. Faites cuire 1 minute. Ajoutez 100 g de lentilles vertes rincées et 600 ml de bouillon de légumes, laissez frémir 5 minutes. Ajoutez 150 g de riz basmati, poursuivez la cuisson 15 minutes à petits bouillons. Dix minutes avant la fin de la cuisson, faites chauffer ½ c. à s. d'huile d'olive dans une poêle, sortez le saumon de la marinade et faites-le cuire 2 à 3 minutes de chaque côté, à feu doux. Coupez-le en morceaux. Sortez le bâton de cannelle et l'anis de la sauteuse, incorporez le saumon et 3 c. à s. de coriandre fraîche ciselée. Servez aussitôt.

30 MINUTES

Gratin de pâtes au thon, à la courge et aux petits pois

Pour 4 personnes

225 g de penne

2 c. à s. d'huile d'olive

1 oignon haché

1 courge butternut de 375 g environ, épluchée, égrainée et coupée en cubes

400 g de thon à l'huile en conserve, égoutté et émietté

175 g de petits pois décongelés

25 g de beurre

25 g de farine

300 ml de lait

200 ml de crème fraîche

1 c. à s. de moutarde de Dijon

50 g de gruyère râpé

sel

- Portez à ébullition une grande casserole d'eau salée et faites cuire les penne 10 à 12 minutes. Égouttez-les.

- Faites chauffer l'huile d'olive dans une poêle ou un wok, puis faites revenir l'oignon et la courge 8 à 10 minutes, à feu moyen, en remuant. Ajoutez les pâtes égouttées, le thon et les petits pois, et mélangez.

- Faites fondre le beurre dans une casserole, ajoutez la farine et faites chauffer quelques secondes à feu moyen, en remuant. Hors du feu, incorporez le lait, progressivement, en remuant. Remettez sur le feu, portez à ébullition sans cesser de remuer, pour que la sauce épaississe. Incorporez la crème fraîche et la moutarde. Versez sur les pâtes et mélangez.

- Transférez la préparation dans un plat à gratin et garnissez de gruyère. Faites cuire 3 à 4 minutes sous le gril préchauffé, pour que la sauce forme des bulles et que le fromage soit bien doré. Servez avec une salade verte.

10 MINUTES

Pâtes au thon et aux 3 fromages Portez à ébullition une grande casserole d'eau salée et faites cuire 500 g de tagliatelles fraîches 3 à 4 minutes. Égouttez-les et remettez-les dans la casserole. Ajoutez 1 brique de 350 ml de sauce aux 3 fromages toute prête, 1 c. à s. de moutarde de Dijon, 400 g de thon à l'huile en conserve égoutté et 175 g de petits pois décongelés dans la casserole, mélangez et faites chauffer. Servez avec du pain croustillant tout chaud.

20 MINUTES

Salade de haricots blancs, pâtes et thon Égouttez 400 g de thon à l'huile en conserve et gardez l'huile. Égouttez et rincez 400 g de haricots cannellini en conserve. Mélangez les haricots avec 450 g de pâtes courtes cuites froides, puis ajoutez le thon émietté. Mélangez 3 c. à s. de l'huile du thon, 3 c. à s. d'huile d'olive, 2 gousses d'ail écrasées, 1 c. à c. de moutarde en poudre, le zeste finement râpé de 1 citron et du poivre. Versez sur les pâtes au thon et aux haricots, puis mélangez. Garnissez d'oignon rouge émincé et de copeaux de parmesan. Servez avec du pain ciabatta tiède.

10 MINUTES

Noix de Saint-Jacques aux poireaux

Pour 4 personnes

50 g de beurre

16 noix de Saint-Jacques nettoyées, coupées en deux

1 tranche de lard fumé sans couenne, coupée en bâtonnets

3 poireaux parés, nettoyés et émincés

200 ml de crème fraîche

le zeste finement râpé de 1 citron

poivre

riz long grain cuit pour servir

· Faites fondre la moitié du beurre dans une sauteuse et faites cuire les noix de Saint-Jacques avec le lard, à feu vif, en remuant, pendant 2 minutes environ. Retirez-les avec une écumoire et réservez-les à couvert, pour qu'elles restent chaudes.

· Mettez le reste du beurre dans la poêle et faites cuire les poireaux 5 minutes à feu moyen, en remuant, jusqu'à ce qu'ils soient tendres et légèrement dorés. Incorporez la crème fraîche et le zeste de citron, et poivrez généreusement.

· Ajoutez les noix de Saint-Jacques et mélangez. Servez sans attendre, avec du riz.

20 MINUTES

Pâtes aux saint-jacques, poireaux et lard fumé Faites cuire 200 g de fusillis dans une casserole d'eau bouillante salée, pendant 10 à 12 minutes. Égouttez-les et remettez-les dans la casserole pour les garder au chaud. Faites fondre 25 g de beurre dans une sauteuse et faites revenir 8 tranches de lard fumé sans couenne, hachées, avec 16 noix de Saint-Jacques nettoyées et coupées en deux, 2 minutes à feu moyen, en remuant délicatement. Ajoutez 4 poireaux émincés et poursuivez la cuisson 5 minutes, en remuant. Réservez au chaud. Faites fondre 25 g de beurre dans une casserole, ajoutez 25 g de farine et mélangez quelques secondes. Hors du feu, incorporez progressivement 250 ml de lait, en remuant bien. Portez à ébullition sans cesser de remuer et laissez épaissir. Hors du feu, incorporez 4 c. à s. de parmesan frais râpé, 200 ml de crème fraîche et 3 c. à s. de persil haché. Mélangez la préparation de noix de Saint-Jacques, la béchamel et les pâtes, puis servez.

30 MINUTES

Brochettes de saint-jacques et lard fumé Coupez 10 tranches de lard fumé en deux et enroulez-les autour de 20 petites noix de Saint-Jacques nettoyées. Piquez-les sur 4 brochettes en métal. Mélangez 2 c. à s. d'huile d'olive et 1 c. à s. de miel liquide, et badigeonnez les brochettes. Faites fondre 25 g de beurre avec 1 c. à s. d'huile d'olive dans une poêle et faites revenir 2 poireaux émincés 6 à 8 minutes. Ajoutez 1 c. à c. de zeste de citron râpé, 1 c. à c. de moutarde à l'ancienne, 200 ml de crème fraîche et faites chauffer 2 minutes. Réservez au chaud. Faites cuire les brochettes sur une plancha chaude 2 à 3 minutes de chaque côté. Servez-les sur un lit de poireaux.

30 MINUTES

Gratin de saumon, poireaux, petits pois et purée à l'aneth

Pour 4 personnes

500 g de filet de saumon
   sans peau
25 g de beurre
25 g de farine
450 ml de lait
3 beaux poireaux parés,
   nettoyés et émincés
125 g de petits pois surgelés,
   décongelés
1 kg de purée de pommes
   de terre
50 g d'aneth ciselé
25 g de parmesan frais râpé
sel et poivre

· Mettez le saumon dans un plat allant au micro-ondes, avec 2 cuillerées à soupe d'eau. Couvrez et faites cuire 3 à 4 minutes, jusqu'à ce qu'il change de couleur. Réservez-le puis coupez-le en morceaux.

· Faites fondre le beurre dans une casserole, ajoutez la farine et faites chauffer quelques secondes à feu moyen, en remuant. Hors du feu, incorporez le lait progressivement. Remettez sur le feu et portez à ébullition sans cesser de remuer, pour que la sauce épaississe. Hors du feu, salez, poivrez et mélangez.

· Incorporez les poireaux et les petits pois à la sauce, puis le saumon. Mélangez et transférez dans un grand plat à gratin. Versez la purée dans un saladier, incorporez 2 cuillerées à soupe d'eau et ⅔ de l'aneth. Versez-la sur la préparation au saumon, garnissez de parmesan et faites cuire 10 minutes au four préchauffé à 200 °C, puis faites griller 5 minutes pour que le dessus soit bien doré. Parsemez avec le reste de l'aneth avant de servir.

10 MINUTES

Purée au saumon, épinards et petits pois Faites chauffer 1 brique de 350 ml de sauce au fromage 5 minutes à feu moyen dans une casserole. Ajoutez 100 g d'épinards hachés surgelés et 75 g de petits pois surgelés, et faites chauffer en remuant, pour que les épinards soient cuits. Ajoutez 420 g de saumon rouge en conserve, égoutté et émietté, et faites chauffer le tout. Préparez 1 kg de purée de pommes de terre instantanée. Versez la sauce sur la purée et servez.

20 MINUTES

Saumon au four au poireau et au parmesan Posez 4 filets de saumon sans peau de 150 g chacun dans un plat, salez et poivrez. Faites fondre 25 g de beurre dans une sauteuse et faites cuire 1 poireau paré, nettoyé et émincé 3 minutes à feu vif, en remuant. Garnissez le saumon avec le poireau, ajoutez 1 c. à s. de parmesan frais râpé et faites cuire 10 à 12 minutes au four préchauffé à 200 °C. Parsemez d'aneth haché avant de servir.

20 MINUTES

Salade de crevettes et nouilles thaïes

Pour 4 personnes

100 g de nouilles de riz thaïes
le jus et le zeste finement râpé
   de 1 citron vert
1 c. à s. d'huile de sésame
125 g de pois mange-tout
1 piment oiseau émincé
2,5 cm de gingembre frais,
   pelé et grossièrement haché
250 g de grosses crevettes cuites
   décortiquées
4 c. à s. de beurre de cacahuète
   sans morceaux
4 c. à s. de sauce soja claire
150 ml d'eau bouillante
50 g d'ananas séché en morceaux,
   grossièrement haché

· Plongez les nouilles dans un bol d'eau bouillante et laissez-les tremper le temps indiqué sur le paquet. Égouttez-les et mélangez-les avec le zeste de citron vert.

· Pendant ce temps, faites chauffer l'huile de sésame dans un wok ou une sauteuse et faites revenir les pois mange-tout, le piment et le gingembre 2 minutes, à feu vif. Ajoutez les crevettes et faites sauter 2 minutes pour qu'elles soient bien chaudes. Mélangez le beurre de cacahuète, le jus de citron vert et la sauce soja dans un bol, incorporez l'eau bouillante. Versez dans le wok et mélangez.

· Ajoutez les nouilles et les morceaux d'ananas, mélangez pour bien les enrober de sauce et servez dans des bols chauds.

10 MINUTES

Brochettes de crevettes
Piquez 3 grosses crevettes crues décortiquées sur 8 petites brochettes en métal et faites-les cuire sous le gril du four préchauffé 3 minutes de chaque côté. Mélangez 4 c. à s. de beurre de cacahuète sans morceaux, 4 c. à s. de sauce soja claire et le jus de 1 citron vert. Coupez 2 carottes épluchées, 2 bâtons de céleri et ½ gros concombre en bâtonnets. Servez les brochettes et les crudités avec la sauce.

30 MINUTES

Crevettes sautées et riz aux œufs Faites cuire 250 g de riz long grain 15 minutes à l'eau bouillante, puis égouttez-le. Remettez-le dans la casserole, avec 75 g de petits pois cuits, 2 oignons de printemps parés finement hachés, 75 g de cacahuètes grillées, 1 œuf battu, 2 c. à s. d'huile de sésame et 2 c. à s. de sauce soja claire. Faites cuire à feu moyen, en remuant. Quand l'œuf est cuit, réservez. Faites chauffer 1 c. à s. d'huile de sésame dans un wok ou une sauteuse, faites sauter 125 g de pois mange-tout, 1 piment oiseau émincé et 2,5 cm de gingembre frais, pelé et haché, 2 minutes à feu moyen. Ajoutez 250 g de grosses crevettes cuites décortiquées et faites sauter 2 minutes. Mélangez 4 c. à s. de beurre de cacahuète et 4 c. à s. de sauce soja claire avec 150 ml d'eau bouillante. Incorporez 1 c. à s. de fécule de maïs. Versez dans le wok et faites chauffer, en remuant, pour que la sauce épaississe. Servez sur le riz frit.

30 MINUTES

Petits gratins d'aiglefin à la crème

Pour 4 personnes

625 g de filets d'aigefin sans peau

600 ml de lait

1 feuille de laurier

40 g de beurre

40 g de farine

50 g de gruyère râpé

½ c. à c. de moutarde en poudre, préparée

salade verte pour servir

Pour la garniture

100 g de chapelure fraîche

25 g de gruyère finement râpé

le zeste de 1 citron finement râpé

2 c. à s. de persil plat

· Mettez le poisson dans une casserole, avec le lait et la feuille de laurier. Portez à ébullition et laissez bouillir 3 minutes. Sortez le poisson avec une écumoire, répartissez-le dans 4 plats à gratin individuels et réservez le lait.

· Dans une autre casserole, faites fondre le beurre, ajoutez la farine et mélangez quelques secondes sur feu moyen. Hors du feu, incorporez le lait réservé, progressivement, en mélangeant bien. Remettez sur le feu, portez à ébullition et laissez réduire la sauce, sans cesser de remuer. Hors du feu, incorporez le gruyère râpé et la moutarde.

· Versez cette sauce sur le poisson. Mélangez les ingrédients de la garniture et répartissez-la sur les 4 plats. Faites cuire 10 minutes au four préchauffé à 220 °C, sur la grille la plus haute, pour que les gratins dorent et que des bulles se forment. Servez avec une salade verte.

10 MINUTES

Ceviche d'aiglefin Hachez très finement 250 g de filets d'aiglefin très frais. Mettez-les dans un grand plat peu profond, non métallique. Parsemez de 1 c. à c. de gros sel, ½ c. à c. d'origan séché et versez 75 ml de jus de citron vert. Couvrez et laissez mariner 8 minutes. Égouttez le poisson et jetez la marinade. Mélangez-le avec 3 oignons de printemps hachés, 1 piment vert haché et 4 c. à s. de coriandre fraîche ciselée. Servez sur des morceaux de baguette grillés.

20 MINUTES

Gratin d'aiglefin croustillant Pochez 625 g de filets d'aiglefin sans peau pendant 3 minutes dans 100 ml de lait, avec 1 feuille de laurier. Réchauffez doucement 350 ml de sauce au fromage en brique dans une casserole. Égouttez le poisson, jetez le lait. Mettez le poisson dans un plat à gratin et nappez-le de sauce. Hachez au robot 1 paquet de tortilla chips avec 2 c. à s. de persil haché pour obtenir de grosses miettes. Parsemez-les sur le plat. Faites cuire 10 minutes au four préchauffé à 220 °C, sur la grille la plus haute, pour que le gratin dore et que des bulles se forment.

10 MINUTES

Poisson à la sauce tomate et au vin

Pour 4 personnes

800 g de sauce tomate
  aux poivrons et aux oignons
150 ml de vin blanc
1 c. à s. d'huile d'olive
375 g de filets de poisson blanc
175 g de crevettes crues
  décortiquées
25 g de persil haché
poivre

- Dans une sauteuse, portez à ébullition la sauce tomate, le vin et l'huile d'olive.

- Baissez le feu, ajoutez le poisson coupé en morceaux et les crevettes, et laissez frémir 7 minutes, jusqu'à ce que le poisson soit bien cuit et les crevettes bien roses.

- Ajoutez le persil, poivrez et servez dans des bols chauds, avec du pain croustillant tiède.

20 MINUTES

Saumon au lard fumé et à la sauce tomate Faites chauffer 1 c. à s. d'huile d'olive dans une sauteuse et faites dorer 6 tranches de lard fumé sans couenne hachées à feu vif, en remuant, pendant 3 minutes. Ajoutez 800 g de sauce tomate aux poivrons et aux oignons et 150 ml de vin blanc. Portez à ébullition, puis baissez le feu et laissez frémir. Ajoutez 4 filets de saumon sans peau de 150 g chacun, coupés en gros morceaux, 250 g de tomates cerises et 3 c. à s. de feuilles de romarin hachées. Portez à ébullition puis laissez frémir à gros bouillons 15 minutes, pour que le saumon soit cuit et les tomates tendres. Servez avec du pain croustillant chaud pour saucer.

30 MINUTES

Poisson mijoté aux légumes méditerranéens Faites chauffer 1 c. à s. d'huile d'olive dans une sauteuse, puis faites cuire 2 courgettes parées et coupées en gros morceaux, 1 poivron rouge et 1 poivron jaune épépinés et coupés en morceaux, et 1 oignon rouge finement haché, 8 à 10 minutes à feu moyen, en remuant de temps en temps. Ajoutez 500 g de morceaux de filets de poissons blancs divers sans peau, 175 g de crevettes cuites décortiquées, 800 g de sauce tomate et 300 ml de vin blanc, et faites cuire 10 minutes, en remuant de temps en temps. Quand le poisson est cuit, incorporez 100 g d'olives noires dénoyautées et servez dans des bols chauds, en garnissant de 75 g de croûtons tout prêts.

20 MINUTES

Crevettes sautées au citron et au brocolini

Pour 4 personnes

175 g de riz long grain
250 g de brocolini paré,
   coupé en tronçons de 7 cm
3 c. à s. d'huile végétale
1 gros oignon émincé
1 botte d'oignons de printemps,
   parés et hachés
250 g de crevettes cuites
   décortiquées
le zeste finement râpé
   et le jus de 1 citron
3 c. à s. de sauce soja claire
sel

- Faites cuire le riz 10 minutes dans une casserole d'eau bouillante salée. Ajoutez le brocolini et poursuivez la cuisson 5 minutes. Égouttez le riz et le brocolini, et réservez au chaud.

- Pendant ce temps, faites chauffer l'huile dans un wok ou une sauteuse et faites revenir l'oignon 5 minutes à feu moyen, en remuant souvent. Ajoutez les oignons de printemps et les crevettes, et faites sauter 4 minutes.

- Ajoutez le zeste, le jus de citron et la sauce soja, mélangez bien, ajoutez le riz et le brocolini, puis faites sauter le tout 1 minute. Servez sans attendre.

10 MINUTES

Nouilles aux crevettes et au brocolini Faites cuire 200 g de nouilles aux œufs pendant 3 minutes dans une casserole d'eau bouillante, puis égouttez-les. Parez chaque branche d'un brocolini de 250 g et coupez-les en trois dans la longueur. Faites chauffer 3 c. à s. d'huile végétale dans un wok ou une sauteuse et faites sauter le brocolini avec 1 botte d'oignons de printemps, hachés, 250 g de crevettes cuites décortiquées et 2 petits bok choy en lamelles, 4 minutes à feu moyen. Ajoutez le zeste de 1 citron râpé et 3 c. à s. de sauce soja claire, et mélangez. Ajoutez les nouilles et faites-les réchauffer.

30 MINUTES

Riz canard, crevettes, gingembre et brocolini Faites cuire 175 g de riz long grain dans une casserole d'eau bouillante légèrement salée pendant 10 minutes. Ajoutez 250 g de brocolini coupé en tronçons et poursuivez la cuisson 5 minutes. Égouttez et réservez au chaud. Faites chauffer 2 c. à s. d'huile de tournesol dans un wok ou une sauteuse et faites cuire 1 filet de canard de 175 g coupé en fines lamelles, 5 minutes à feu moyen. Sortez le canard avec une écumoire. Ajoutez 1 gros oignon rouge émincé dans le wok et faites cuire 5 minutes en remuant, jusqu'à ce qu'il soit tendre. Ajoutez 1 botte d'oignons de printemps, parés et hachés, 250 g de crevettes cuites décortiquées, et faites sauter 4 minutes. Ajoutez 3,5 cm de gingembre frais, pelé et râpé, et 3 c. à s. de sauce soja légère, et mélangez. Remettez le canard dans le wok, avec le riz et le brocolini, et faites sauter 1 minute.

30 MINUTES

Saumon à la jamaïcaine au maïs et aux gombos

Pour 4 personnes

4 filets de saumon de 175 g chacun, sans peau

1 c. à c. de mélange d'épices jerk

4 épis de maïs coupés en deux

3 c. à s. d'huile d'olive

1 oignon rouge émincé

250 g de gombos parés

50 g de beurre

½ c. à c. de paprika

½ c. à c. de noix de muscade moulue

sel

- Saupoudrez les filets de saumon d'un côté avec le mélange d'épices jerk et réservez.

- Faites cuire les épis de maïs 15 minutes dans l'eau bouillante salée, pour qu'ils soient tendres.

- Faites chauffer 2 cuillerées à soupe d'huile d'olive dans une sauteuse et faites revenir l'oignon 2 minutes à feu moyen, en remuant. Ajoutez les gombos et poursuivez la cuisson 4 minutes, en remuant. Égouttez les épis de maïs, mettez-les dans la sauteuse, avec le beurre, le paprika et la muscade, et faites sauter 2 à 3 minutes, pour que les ingrédients soient légèrement dorés.

- Faites chauffer la dernière cuillerée d'huile dans une grande poêle et faites cuire les filets de saumon, côté épicé sur le dessous, à feu moyen pendant 3 à 4 minutes, puis retournez-les et poursuivez la cuisson 2 minutes. Servez le poisson bien chaud, avec la préparation au maïs et aux gombos.

10 MINUTES

Salade au saumon épicé à la jamaïcaine Saupoudrez 4 filets de saumon sans peau de 175 g chacun avec 1 c. à s. de mélange d'épices jerk. Faites chauffer 1 c. à s. d'huile d'olive dans une sauteuse et faites cuire le saumon 3 à 4 minutes, côté épicé sur le dessous, puis retournez-le et poursuivez la cuisson 2 minutes. Répartissez 150 g de mesclun sur 4 assiettes. Égouttez 200 g de maïs en conserve et émincez ½ oignon rouge. Répartissez le maïs et l'oignon sur les assiettes. Émiettez le saumon sur la salade et servez avec des quartiers de citron vert.

20 MINUTES

Saumon à la jamaïcaine vite prêt Suivez la recette ci-dessus, mais faites cuire le maïs 6 minutes au micro-ondes, à puissance maximale, avec 4 c. à s. d'eau, au lieu de le faire bouillir.

10 MINUTES

Spaghettis aux crevettes et sauce tomate au basilic

Pour 4 personnes

500 g de spaghettis frais

2 c. à s. d'huile d'olive

2 gousses d'ail émincées

800 g de tomates concassées
   en conserve

3 c. à s. de pâte de tomate séchée
   au soleil

250 g de grosses crevettes cuites
   décortiquées

25 g de basilic haché

sel et poivre

parmesan frais râpé pour servir
   (facultatif)

· Portez à ébullition une grande casserole d'eau légèrement salée et faites cuire les spaghettis frais 3 minutes. Égouttez-les.

· Pendant ce temps, faites chauffer l'huile d'olive dans une sauteuse et faites revenir l'ail quelques secondes à feu moyen, pour parfumer l'huile. Ajoutez les tomates et la pâte de tomate séché, et faites cuire 5 minutes, en remuant de temps en temps, pour que la sauce épaississe.

· Ajoutez les crevettes et le basilic, mélangez et faites chauffer 1 à 2 minutes. Poivrez généreusement et ajoutez les spaghettis. Mélangez pour les enrober de sauce.

· Servez dans des assiettes creuses chaudes, garni de parmesan frais râpé.

20 MINUTES

Spaghettis aux fruits de mer et au lard fumé, sauce tomate épicée Faites cuire 500 g de spaghettis frais 3 minutes à l'eau bouillante, égouttez-les et remettez-les dans la casserole. Faites chauffer 2 c. à s. d'huile d'olive dans une sauteuse, faites revenir 1 piment rouge finement haché et 2 gousses d'ail émincées 2 minutes à feu moyen, en remuant. Ajoutez 8 tranches de lard fumé sans couenne hachées et poursuivez la cuisson 2 minutes, en remuant. Incorporez 200 g de noix de pétoncle préparées et 200 g de grosses crevettes cuites décortiquées, et faites cuire 3 à 4 minutes, à feu vif, en remuant

bien. Ajoutez 800 g de tomates concassées en conserve et 3 c. à s. de pâte de tomate séchée, et poursuivez la cuisson 5 minutes, jusqu'à ce que la sauce épaississe. Incorporez 25 g de persil haché. Versez cette garniture sur les pâtes et mélangez bien.

30 MINUTES

Gratin de pâtes aux crevettes, à l'ail et aux tomates Faites cuire 500 g de penne frais, puis égouttez-les. Faites chauffer 2 c. à s. d'huile d'olive dans une poêle et faites revenir 2 gousses d'ail émincées 2 minutes à feu moyen. Ajoutez 6 c. à s. de pâte de tomate séchée et 800 g de tomates concassées en conserve. Portez à ébullition puis laissez frémir 10 minutes, pour que la sauce réduise de moitié. Incorporez 4 c. à s. de basilic haché , 200 g de crevettes cuites décortiquées et les pâtes, puis mélangez. Versez dans un plat à gratin, parsemez de 100 g de gruyère râpé et faites dorer 5 minutes sous le gril.

10 MINUTES

Cabillaud et pommes de terre frits, mayonnaise au citron et à l'aneth

Pour 4 personnes

4 c. à s. d'huile végétale

4 pommes de terre épluchées
et coupées en cubes

1 c. à s. d'huile d'olive

4 filets de cabillaud de 150 g
chacun

le zeste finement râpé
et le jus de 1 citron

4 c. à s. d'aneth ciselé

6 c. à s. de mayonnaise

sel et poivre

- Faites chauffer l'huile dans une sauteuse et faites cuire les pommes de terre 7 à 10 minutes à feu moyen, en remuant, jusqu'à ce qu'elles soient croustillantes et bien dorées.

- Faites chauffer l'huile d'olive dans une poêle et faites cuire les filets de cabillaud à feu vif, 3 à 5 minutes, en les retournant 1 fois, jusqu'à ce qu'ils soient bien dorés. Versez le jus de citron sur le poisson, salez et poivrez.

- Mélangez le zeste de citron avec la moitié de l'aneth et la mayonnaise. Parsemez le reste de l'aneth sur le poisson avant de le servir, avec les pommes de terre et la sauce.

20 MINUTES

Cabillaud frit au prosciutto et patates douces Faites chauffer 3 c. à s. d'huile végétale dans une sauteuse et faites cuire 4 patates douces épluchées et coupées en cubes, 8 à 10 minutes à feu moyen, en remuant, pour qu'elles soient bien dorées et tendres. Enveloppez 4 filets de cabillaud de 150 g chacun dans 4 tranches de prosciutto. Faites chauffer 1 c. à s. d'huile végétale dans une poêle et faites cuire le poisson 8 à 10 minutes à feu moyen, en le retournant. Mélangez 6 c. à s. de mayonnaise avec le zeste finement râpé de ½ citron et 3 c. à s. de persil haché. Servez les patates douces et le poisson avec la sauce.

30 MINUTES

Cabillaud grillé enrobé de lard fumé et frites au four Coupez 4 pommes de terre épluchées en bâtonnets et mélangez-les avec 2 c. à s. d'huile végétale. Étalez-les sur une plaque en une seule couche et faites-les cuire 20 minutes au four préchauffé à 220 °C, jusqu'à ce qu'elles soient bien dorées et cuites. Enveloppez 4 filets de cabillaud de 150 g chacun dans 4 tranches de lard fumé sans couenne, en plaçant 2 à 3 feuilles de basilic entre les deux. Mettez-les dans un plat, salez et poivrez. Faites cuire 15 minutes au four, en même temps que les pommes de terre. Servez, parsemé de persil haché.

30 MINUTES

Spaghettis aux fruits de mer, à l'ail et aux tomates

Pour 4 personnes

225 g de spaghettis

3 c. à s. d'huile d'olive

2 gousses d'ail émincées

3 échalotes coupées en fins quartiers

1 bâton de céleri émincé

4 tomates coupées en gros dés

400 g de tomates concassées en conserve

150 ml de vin blanc

1 c. à s. de thym haché

3 c. à s. de persil haché

250 g de grosses crevettes cuites décortiquées

240 g d'un mélange de fruits de mer crus surgelé, décongelé

sel

pain croustillant chaud pour servir

- Portez à ébullition une casserole d'eau légèrement salée et faites cuire les spaghettis 8 à 10 minutes. Égouttez-les et couvrez-les pour les garder au chaud.

- Faites chauffer l'huile d'olive dans une grande poêle et faites revenir l'ail, les échalotes et le céleri à feu moyen, 3 à 4 minutes, jusqu'à ce qu'ils soient tendres. Ajoutez les tomates fraîches, augmentez le feu et poursuivez la cuisson 2 à 3 minutes, en remuant. Incorporez les tomates en conserve et le vin.

- Portez à ébullition, baissez le feu et laissez frémir 8 à 10 minutes à gros bouillons, pour que la sauce réduise d'un tiers. Incorporez les herbes, les crevettes et les fruits de mer, et faites cuire 3 à 4 minutes. Ajoutez les spaghettis et mélangez pour bien les enrober.

- Servez dans des assiettes creuses chaudes, avec du pain croustillant pour saucer.

10 MINUTES

Fruits de mer sautés Faites chauffer 25 g de beurre avec de l'huile dans un wok couvert, puis faites sauter 250 g de grosses crevettes cuites décortiquées et 240 g d'un mélange de fruits de mer surgelé à feu vif. Quand les fruits de mer sont cuits, versez 125 ml de vin blanc, couvrez, secouez le wok et laissez cuire 3 minutes. Ajoutez 4 c. à s. de cognac, couvrez et faites cuire 3 minutes, en secouant de temps en temps. Parsemez de persil haché et servez avec du pain.

20 MINUTES

Paella aux fruits de mer Faites fondre 25 g de beurre dans une poêle antiadhésive et faites revenir 1 oignon finement haché avec 1 pincée de filaments de safran, 2 poivrons rouges épépinés et coupés en dés, et 2 tomates coupées en dés, 3 à 4 minutes, à feu moyen, en remuant de temps en temps. Ajoutez 250 g de riz long grain à cuisson rapide, 250 g de grosses crevettes crues décortiquées, 240 g de mélange de fruits de mer crus surgelé décongelé et 2 c. à s. de vin blanc. Laissez frémir 3 minutes. Incorporez 150 ml de bouillon de légumes et laissez frémir 5 à 6 minutes, jusqu'à ce que les crevettes soient roses, les fruits de mer cuits et le riz bien tendre. Incorporez 3 c. à s. de persil haché et servez sans attendre, garni de brins de persil et de quartiers de citron.

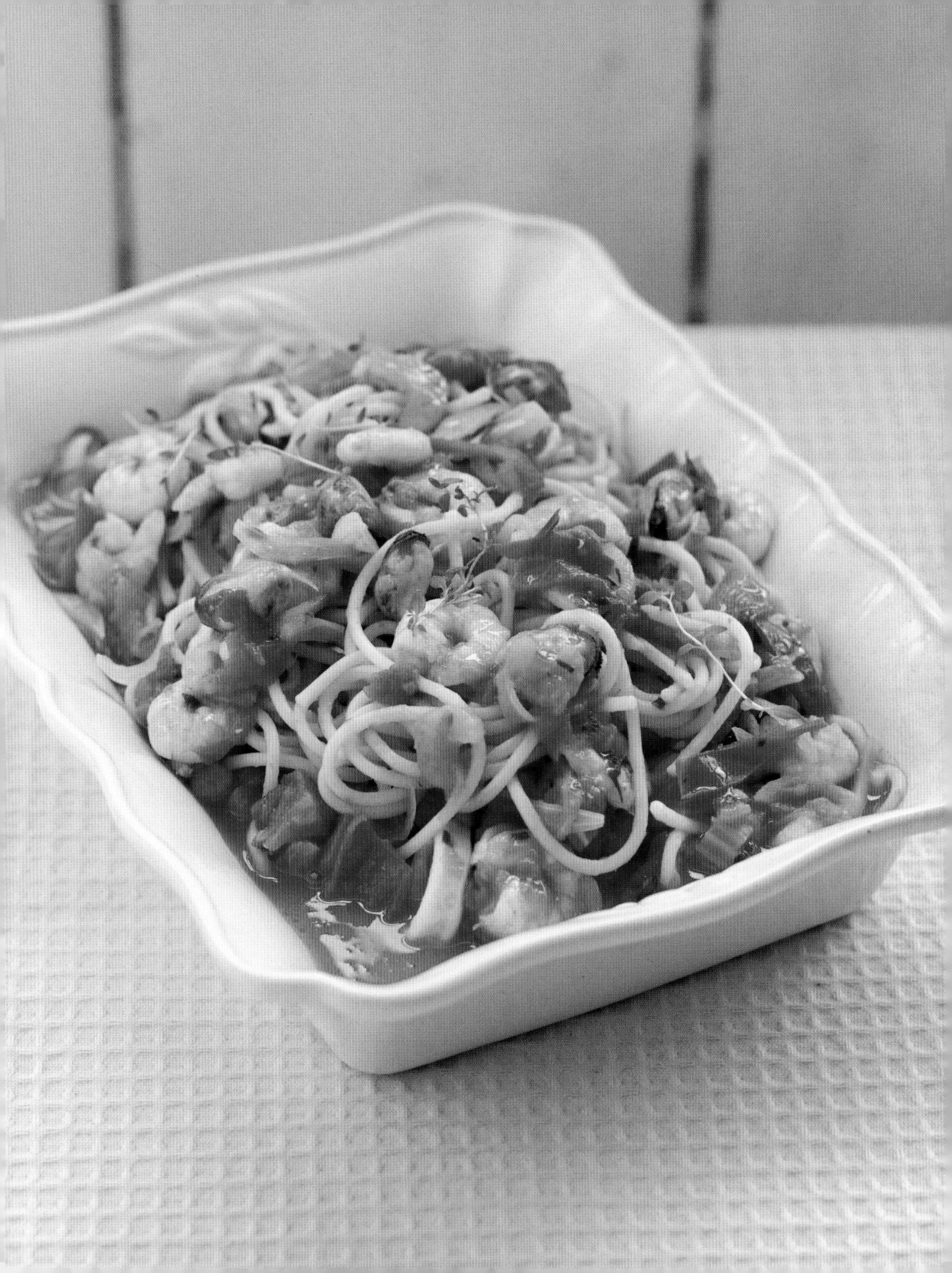

Croquettes de thon au fromage et au maïs

Pour 4 personnes

300 g de purée de pommes
   de terre
½ c. à c. de poivre noir moulu
50 g de gruyère finement râpé
200 g de thon à l'huile en conserve,
   égoutté et émietté
100 g de maïs
3 c. à s. de persil haché
175 g de chapelure complète
   fraîche
1 œuf
huile végétale pour la friture

Pour servir

sauce hollandaise toute prête
roquette assaisonnée au jus
   de citron

- Mélangez la purée avec le poivre et le gruyère pour obtenir une préparation onctueuse. Incorporez le thon, le maïs et le persil, et mélangez. Formez 8 croquettes.

- Mettez la chapelure sur une assiette. Battez l'œuf dans une assiette creuse. Trempez chaque croquette dans l'œuf puis passez-la dans la chapelure.

- Faites chauffer 6 à 8 cuillerées à soupe d'huile végétale dans une poêle et faites cuire les croquettes 4 par 4 à feu moyen, 4 à 5 minutes, en les retournant 1 fois. Sortez-les avec une pelle à poisson et égouttez-les sur du papier absorbant.

- Servez les croquettes avec de la sauce hollandaise chaude et une salade de roquette assaisonnée au jus de citron.

---

10 MINUTES

Ciabatta grillée au thon et au maïs Mélangez 200 g de thon à l'huile en conserve égoutté et émietté avec 100 g de maïs et 2 c. à s. de mayonnaise. Ouvrez 1 ciabatta et coupez chaque moitié en deux. Nappez chaque morceau avec un peu de préparation et 25 g de gruyère râpé. Faites cuire 2 minutes sous le gril du four préchauffé. Servez sans attendre, avec une salade verte.

20 MINUTES

Fusillis au thon, au maïs et à la crème Faites cuire 225 g de fusillis 10 à 12 minutes, puis égouttez-les. Faites fondre 25 g de beurre dans une casserole, ajoutez 25 g de farine et faites cuire quelques secondes, en remuant. Hors du feu, incorporez 300 ml de lait, progressivement, en mélangeant bien. Ajoutez 50 g de gruyère râpé. Portez à ébullition puis laissez épaissir, sans cesser de remuer.

Incorporez 200 g de thon à l'huile en conserve égoutté et émietté, 100 g de maïs en conserve égoutté et 3 c. à s. de persil haché. Mélangez les pâtes et la sauce, puis servez sans attendre, dans des assiettes creuses chaudes.

20 MINUTES

Frittata au saumon et aux épices

Pour 4 personnes

1 c. à s. d'huile d'olive

1 poivron rouge épépiné
et coupé en morceaux

1 poivron vert épépiné
et coupé en morceaux

1 petit oignon émincé

1 petit piment rouge finement
haché

6 c. à s. de coriandre fraîche hachée
+ un peu pour décorer

250 g de filet de saumon
sans peau

2,5 cm de gingembre frais,
pelé et haché grossièrement

2 c. à s. de mélange d'épices cajun

6 œufs

poivre

salade verte pour servir

· Faites chauffer l'huile d'olive dans une poêle antiadhésive de 23 cm de diamètre allant au four. Faites revenir les poivrons, l'oignon et le piment 3 à 4 minutes, à feu moyen, en remuant. Ajoutez la coriandre. Faites un puits au centre, déposez le filet de saumon et faites cuire 3 à 4 minutes, en le retournant 1 fois, pour qu'il soit presque cuit.

· Coupez le filet en gros morceaux. Ajoutez le gingembre et les épices, mélangez. Battez les œufs dans un bol et poivrez-les. Versez-les dans la poêle et faites cuire doucement 3 à 4 minutes, jusqu'à ce que le dessous ait pris.

· Mettez la poêle sous le gril du four et faites dorer la frittata 4 à 5 minutes. Coupez-la en parts et servez avec une salade verte.

10 MINUTES

Saumon cajun Mélangez un peu de pâte de gingembre avec 2 c. à c. de mélange d'épices cajun. Badigeonnez 250 g de filet de saumon sans peau avec cette préparation. Faites chauffer 3 c. à s. d'huile d'olive dans une poêle et faites cuire le saumon 9 minutes à feu moyen, en le retournant à mi-cuisson. Servez avec du pain et de la salade verte.

30 MINUTES

Croquettes de saumon aux épices cajun Faites chauffer 1 c. à s. d'huile d'olive dans une sauteuse, puis faites cuire 1 poivron rouge épépiné et coupé en dés, 1 petit oignon rouge coupé en dés et 250 g de filet de saumon sans peau pendant 9 minutes, en le retournant à mi-cuisson. Émiettez le saumon, puis mettez la préparation dans un saladier, avec 225 g de purée de pommes de terre. Ajoutez

2 c. à c. de mélange d'épices cajun, 2,5 cm de gingembre frais, pelé et râpé, 6 c. à s. de coriandre hachée et 1 œuf battu. Formez 8 croquettes. Faites chauffer 3 c. à s. d'huile d'olive dans une poêle et faites cuire les croquettes 5 minutes de chaque côté, à feu moyen, jusqu'à ce qu'elles soient dorées. Servez avec des frites au four et de la salade verte.

Tagliatelles aux crevettes, parmesan et épinards

Pour 4 personnes

250 g de tagliatelles
2 c. à s. d'huile d'olive
1 oignon rouge émincé
1 botte d'oignons de printemps, parés et émincés
1 gousse d'ail émincée
300 g de crevettes crues décortiquées
200 g de pousses d'épinard
400 g de mascarpone
50 g de parmesan frais râpé
sel et poivre
pain complet croustillant chaud pour servir (facultatif)

- Portez à ébullition une casserole d'eau bouillante salée et faites cuire les tagliatelles 8 à 10 minutes. Égouttez-les.

- Pendant ce temps, faites chauffer l'huile d'olive dans une sauteuse et faites revenir l'oignon 5 minutes à feu moyen, en remuant, jusqu'à ce qu'il soit tendre. Ajoutez les oignons de printemps et l'ail, et poursuivez la cuisson 2 minutes, en remuant. Ajoutez les crevettes et faites cuire 2 minutes à feu vif, puis ajoutez les épinards et faites sauter 1 à 2 minutes, sans cesser de remuer, pour qu'ils se flétrissent et que les crevettes soient roses.

- Incorporez le mascarpone et mélangez bien. Poivrez généreusement, puis ajoutez le parmesan et les pâtes. Faites chauffer 1 à 2 minutes.

- Servez dans des assiettes creuses chaudes, avec du pain complet croustillant.

10 MINUTES

Nouilles sautées aux crevettes

Faites cuire 200 g de nouilles aux œufs selon les indications de l'emballage. Égouttez-les. Faites chauffer 2 c. à s. d'huile d'arachide dans un wok et faites sauter 1 piment rouge haché et 2 gousses d'ail émincées 1 minute, à feu vif. Ajoutez 500 g de crevettes cuites décortiquées et faites sauter 3 minutes. Ajoutez 300 g d'un mélange de légumes pour wok, 2 c. à s. de sauce soja claire et 2 c. à s. de sauce pimentée sucrée. Ajoutez les nouilles et mélangez.

20 MINUTES

Crevettes au piment, aux épinards et au fromage

Faites mariner 500 g de crevettes crues décortiquées 10 minutes dans un plat non métallique, avec le jus de 2 citrons verts et un peu de Tabasco. Faites chauffer 2 c. à s. d'huile d'olive dans une sauteuse, puis faites revenir 2 petits oignons rouges émincés et 2 gousses d'ail écrasées 3 minutes, à feu moyen, en remuant. Ajoutez 1 c. à c. de flocons de piment séché et faites cuire 2 minutes. Versez dans un plat à gratin et ajoutez 400 g d'épinards cuits bien égouttés. Égouttez les crevettes et ajoutez-les dans le plat. Salez, poivrez, nappez de 200 ml de crème fraîche, puis garnissez avec 125 g de mozzarella émiettée et 125 g de parmesan frais râpé. Faites dorer 10 minutes sous le gril du four préchauffé. Servez avec du pain frais, décoré de feuilles de coriandre fraîche.

30 MINUTES

Haddock grillé, purée de pommes de terre et œufs pochés

Pour 4 personnes

750 g de pommes de terre
  épluchées et coupées
  en morceaux
5 c. à s. de lait
50 g de beurre
4 c. à s. de persil plat haché
4 filets de haddock fumé de 250 g
  chacun
jus de citron ou vinaigre de malt
4 œufs
200 ml de sauce hollandaise
  toute prête
sel et poivre

- Faites cuire les pommes de terre 20 minutes dans une casserole d'eau bouillante légèrement salée. Égouttez-les et remettez-les dans la casserole. Écrasez-les en incorporant le lait et le beurre. Poivrez généreusement et ajoutez le persil.

- Pendant ce temps, faites cuire le haddock 15 minutes au four préchauffé à 200 °C, jusqu'à ce qu'il change de couleur.

- Remplissez à moitié une casserole d'eau et portez à ébullition. Ajoutez un peu de jus de citron ou de vinaigre de malt. Faites tourbillonner l'eau et cassez 1 œuf dedans ; faites-le cuire 1 à 2 minutes. Sortez-le avec une écumoire et répétez l'opération avec les œufs restants.

- Répartissez la purée sur 4 assiettes chaudes, posez 1 filet de poisson dessus, puis 1 œuf poché. Nappez de sauce hollandaise et saupoudrez d'un peu de poivre du moulin. Vous pouvez aussi servir la sauce séparément.

10 MINUTES

Muffins anglais au saumon fumé et aux œufs Préparez 4 œufs pochés comme ci-dessus. Ouvrez 4 muffins anglais et faites-les griller. Posez-les sur des assiettes et garnissez-les de 250 g de saumon fumé. Ajoutez 1 œuf poché sur chaque muffin, 200 ml de sauce hollandaise et un peu de persil haché.

20 MINUTES

Kedgeree au haddock et aux œufs Faites cuire 150 g de riz basmati 15 minutes dans de l'eau bouillante, puis égouttez-le. Faites cuire 4 œufs pendant 6 minutes à l'eau bouillante, puis faites-les refroidir sous l'eau froide. Faites cuire 250 g de haddock au micro-ondes, 2 à 3 minutes à couvert. Retirez la peau et les arêtes, puis émiettez-le. Faites fondre 15 g de beurre dans une casserole et faites cuire ½ oignon finement haché pendant 3 minutes, en remuant. Ajoutez 2 c. à c. de pâte de curry mi-forte et faites chauffer 2 minutes, en remuant. Ajoutez le riz et le poisson, salez et poivrez. Faites chauffer 2 minutes à feu moyen, puis incorporez 4 c. à s. de persil plat et le jus de ½ citron. Écalez les œufs, coupez-les en quatre et disposez-les sur le kedgeree avant de servir.

Cabillaud sauté au lard fumé et aux tomates cerises

Pour 4 personnes

2 c. à s. d'huile d'olive

1 botte d'oignons de printemps, parés et grossièrement hachés

1 gousse d'ail émincée

175 g de lard fumé sans couenne haché

250 g de tomates cerises coupées en deux

375 g de filets de cabillaud sans peau, coupés en cubes

le zeste de 1 citron finement râpé

2 poignées de feuilles d'épinard

150 g de feta émiettée

pain croustillant chaud pour servir

- Faites chauffer l'huile d'olive dans une grande poêle, puis faites revenir les oignons, l'ail et le lard 2 à 3 minutes à feu vif, en remuant, jusqu'à ce que le lard soit grillé et les oignons tendres. Ajoutez les tomates cerises et le poisson, baissez le feu et faites cuire 3 à 4 minutes, en remuant de temps en temps, délicatement pour ne pas casser les morceaux de poisson.

- Ajoutez le zeste de citron et les épinards, couvrez et faites cuire 1 à 2 minutes de plus, pour que les épinards se flétrissent. Mélangez et garnissez de feta.

- Servez sur des assiettes chaudes, avec du pain croustillant pour saucer.

10 MINUTES

Gratin de cabillaud et lard fumé aux tomates Faites fondre 15 g de beurre avec 1 c. à s. d'huile d'olive dans une poêle et faites cuire 1 botte d'oignons de printemps, parés et hachés, et 6 tranches de lard fumé hachées, pendant 2 minutes à feu vif, en remuant. Ajoutez 375 g de filets de cabillaud sans peau, coupés en cubes. Poursuivez la cuisson 2 minutes. Transférez dans un plat, garnissez avec 4 c. à s. de chapelure mélangée avec 2 c. à s. de gruyère râpé et 1 c. à s. de persil haché. Ajoutez 1 poignée de tomates cerises coupées en deux. Faites dorer 2 minutes sous le gril du four.

30 MINUTES

Morue et tomates grillées Dans une sauteuse huilée, faites cuire 4 poireaux émincés, 1 gousse d'ail émincée et 175 g de lard fumé haché, 3 minutes à feu vif, en remuant. Transférez dans un plat à gratin, ajoutez 375 g de morue fumée et 4 tomates cœur-de-bœuf coupées en rondelles. Poivrez et mélangez. Faites griller 4 tranches de pain blanc et réduisez-les en miettes, au robot. Mélangez cette chapelure avec 3 c. à s. de gruyère râpé et 1 c. à s. de persil haché. Parsemez sur le plat et faites cuire 25 minutes au four préchauffé à 180 °C. Servez avec du pain croustillant chaud.

30 MINUTES

Brochettes de saumon caramélisées au miel et au piment

Pour 4 personnes

4 c. à s. de sauce pimentée sucrée
4 c. à s. de miel liquide
4 c. à s. de coriandre hachée
2 oignons de printemps émincés
1 c. à s. d'huile de sésame
500 g de filets de saumon
sans peau, coupés en morceaux
sel et poivre

Pour le riz

250 g de riz basmati
2 c. à s. d'huile de sésame
1 oignon rouge émincé
6 oignons de printemps
grossièrement hachés
175 g de pois gourmands
coupés en lamelles
4 c. à s. de coriandre hachée

- Faites cuire le riz 15 minutes dans une casserole d'eau bouillante salée. Égouttez-le et réservez-le au chaud.

- Mélangez la sauce pimentée sucrée, le miel, la coriandre, les oignons de printemps et l'huile de sésame dans un saladier. Ajoutez les morceaux de saumon et mélangez pour bien les enrober. Poivrez.

- Piquez le saumon sur 8 brochettes en métal. Posez-les sur une grille recouverte d'aluminium et faites-les cuire 7 à 8 minutes sous le gril du four, en les retournant 2 ou 3 fois.

- Faites chauffer l'huile dans un wok ou une sauteuse et faites sauter l'oignon rouge à feu vif, pendant 3 minutes. Ajoutez les oignons de printemps et les pois gourmands, et faites sauter 2 minutes. Ajoutez le riz, faites sauter 2 minutes, puis incorporez la coriandre et mélangez. Servez les brochettes posées sur un lit de riz.

10 MINUTES

Saumon au miel et à la moutarde, tagliatelles de courgette Mélangez 1 c. à s. de moutarde à l'ancienne, 1 c. à s. de sauce soja claire, le jus de 1 citron et 1 c. à c. de miel liquide. Posez 4 filets de saumon sur une grille recouverte d'aluminium et badigeonnez-les de sauce. Faites-les cuire 8 minutes sous le gril du four, jusqu'à ce qu'ils soient dorés. Servez avec des tagliatelles de courgette cuites à la vapeur et des quartiers de citron.

20 MINUTES

Saumon glacé au miel et nouilles à la coriandre Faites cuire 200 g de nouilles aux œufs moyennes 4 minutes à l'eau bouillante, puis égouttez-les. Passez-les sous l'eau froide et égouttez-les de nouveau. Mélangez les nouilles avec 4 c. à s. de coriandre fraîche hachée, 4 c. à s. de menthe fraîche hachée, 4 c. à s. de basilic frais haché et 2 courgettes râpées. Ajoutez 2 c. à s. de sauce soja claire et 1 c. à s. de jus de citron, et mélangez. Coupez 500 g de saumon sans peau, en tranches de 1,5 cm d'épaisseur. Passez-les dans 2 c. à s. de miel liquide généreusement poivré. Faites chauffer une poêle antiadhésive et faites cuire le saumon 2 minutes de chaque côté, jusqu'à ce qu'il se caramélise. Servez-le sur un lit de nouilles.

30 MINUTES

Cabillaud et risotto
aux olives noires et aux tomates

Pour 4 personnes

4 filets de cabillaud de 175 g chacun

2 c. à s. d'huile d'olive

1 oignon rouge finement haché

100 g d'olives noires dénoyautées hachées

100 g de tomates mûres coupées en dés

250 g de riz arborio

900 ml de bouillon de poulet chaud

50 g de parmesan frais râpé

50 g de basilic haché

poivre

- Mettez les filets de cabillaud dans un plat, nappez-les avec 1 cuillerée à soupe d'huile d'olive, poivrez et réservez.

- Faites chauffer le reste de l'huile dans une sauteuse et faites revenir l'oignon 3 à 4 minutes, à feu moyen, en remuant, jusqu'à ce qu'il soit tendre. Ajoutez les olives et les tomates, et faites cuire 1 minute de plus. Ajoutez le riz et la moitié du bouillon. Portez à ébullition, puis baissez le feu et laissez frémir 5 à 6 minutes, en remuant de temps en temps, jusqu'à ce que le bouillon soit presque entièrement absorbé.

- Faites cuire le poisson 15 minutes au four préchauffé à 200 °C. Pendant ce temps, versez le reste du bouillon et poursuivez la cuisson jusqu'à ce que le riz soit tendre et le liquide absorbé, en remuant de temps en temps. Hors du feu, incorporez le parmesan et le basilic, et poivrez.

- Servez les filets de cabillaud sur un lit de risotto.

10 MINUTES

Filets de cabillaud au parmesan

Mettez 4 c. à s. de farine dans une assiette creuse, salez et poivrez. Passez 4 filets de cabillaud de 150 g chacun dans la farine, puis trempez-les dans 2 œufs battus et passez-les ensuite dans 75 g de parmesan finement râpé, en les enrobant entièrement. Faites chauffer 1 c. à s. d'huile d'olive dans une sauteuse et faites cuire les filets de cabillaud environ 2 minutes de chaque côté

(selon leur épaisseur), à feu vif, pour qu'ils soient bien dorés et cuits. Mélangez 2 avocats mûrs dénoyautés et épluchés avec 1 barquette de cresson, 2 c. à s. d'huile d'olive vierge extra et le jus de 1 citron. Servez le poisson avec cette salade.

20 MINUTES

Cabillaud aux tomates, au basilic et à la mozzarella

Placez 4 filets de cabillaud de 175 g chacun dans un plat huilé. Nappez-les d'huile d'olive, salez et poivrez. Garnissez de 100 g de tomates bien mûres coupées en dés, de 50 g de basilic haché et de 2 boules de mozzarella coupées en fines tranches. Ajoutez 50 g de parmesan râpé, un filet d'huile d'olive et faites cuire 15 minutes au four préchauffé à 220 °C, sur la grille la plus haute.

Plats végétariens

Recettes par temps de préparation

20 MINUTES   Curry de légumes thaï

Pour 4 personnes

500 g de courge butternut pelée, épépinée et coupée en dés

2 poivrons rouges épépinés et coupés en morceaux

175 g de mini-épis de maïs coupés en deux

250 g de chou-fleur détaillé en bouquets

2 c. à s. de pâte de curry vert thaïe

800 ml de lait de coco en conserve

150 ml de bouillon de légumes

175 g de pois gourmands

1 c. à s. de fécule de maïs

2 c. à s. d'eau froide

4 c. à s. de coriandre fraîche ciselée

riz jasmin thaï cuit pour servir

- Mettez la courge, les poivrons, le maïs et le chou-fleur dans un grand faitout à fond épais, ajoutez la pâte de curry, le lait de coco et le bouillon, et portez à ébullition. Réduisez le feu, couvrez et laissez mijoter 15 minutes, jusqu'à ce que les légumes soient tendres, en ajoutant les pois gourmands 5 minutes avant la fin de la cuisson.

- Délayez la fécule de maïs avec l'eau, ajoutez le mélange au curry et poursuivez la cuisson jusqu'à ce que la sauce ait légèrement épaissi, en remuant constamment. Incorporez la coriandre et servez le curry avec du riz jasmin thaï.

10 MINUTES

Soupe de légumes au curry

Coupez 250 g de chou-fleur en dés, mettez-les dans une grande cocotte à fond épais et ajoutez 400 ml de lait de coco, 2 c. à s. de pâte de curry vert thaïe, 150 ml de bouillon de légumes et 175 g de mini-épis de maïs. Faites cuire le tout 9 minutes à feu vif, en remuant de temps en temps. Incorporez 4 c. à s. de coriandre fraîche ciselée, puis servez.

30 MINUTES

Curry de légumes malais

Avec un robot, préparez la pâte de curry en mixant 3 gousses d'ail, 2 piments rouges, 2 bâtons de citronnelle, 3,5 cm de gingembre pelé, 3 échalotes hachées, 3 c. à s. d'huile d'arachide, 1 c. à s. de sucre de canne, 1 c. à c. de curcuma et 1 c. à c. de cannelle moulue. Mélangez 500 g de courge butternut pelée, épépinée et coupée en dés, 2 poivrons rouges coupés en morceaux, 175 g de mini-épis de maïs coupés en deux et 250 g de bouquets de chou-fleur dans une grande cocotte à fond épais, ajoutez la pâte de curry, 2 étoiles d'anis, 2 feuilles de kaffir séchées, 800 ml de lait de coco et 150 ml de bouillon de légumes. Portez à ébullition. Réduisez le feu, couvrez et laissez mijoter 15 minutes, en ajoutant 175 g de pois gourmands 5 minutes avant la fin de la cuisson. Délayez 1 c. à s. de fécule de maïs dans 2 c. à s. d'eau, ajoutez le mélange au curry et poursuivez la cuisson jusqu'à ce que la sauce ait légèrement épaissi, sans cesser de remuer. Incorporez 4 c. à s. de coriandre et servez le curry avec du riz jasmin thaï.

30 MINUTES

Burgers de haricots épicés

Pour 4 personnes

400 g de haricots rouges
4 c. à s. de coriandre ciselée
1 petit piment rouge finement haché
1 c. à s. de paprika
½ c. à c. de cumin moulu
½ c. à c. de coriandre moulue
3 oignons de printemps hachés
1 jaune d'œuf
100 g de chapelure
huile végétale pour la friture

Pour la salsa

2 tomates coupées en petits dés
1 c. à s. d'huile d'olive
2 c. à s. de coriandre ciselée
2 oignons de printemps hachés
poivre

Pour servir

4 petits pains complets ronds
quelques feuilles de roquette

- Égouttez les haricots en conserve, mettez-les dans un saladier et écrasez-les à l'aide d'une fourchette jusqu'à obtention d'une purée grossière. Ajoutez la coriandre, la moitié du piment, les épices, les oignons de printemps, le jaune d'œuf et la chapelure, et mélangez bien le tout. Façonnez 4 galettes.

- Faites chauffer 3 à 4 cuillerées à soupe d'huile végétale dans une grande poêle à fond épais et faites griller les galettes à feu assez vif pendant 2 à 3 minutes de chaque côté. Gardez-les au chaud pendant la préparation de la salsa.

- Mettez les tomates, l'huile d'olive et la coriandre dans un saladier, ajoutez les oignons de printemps et le reste du piment, et mélangez bien. Poivrez légèrement.

- Servez chaque galette dans un petit pain, avec quelques feuilles de roquette et un peu de salsa.

10 MINUTES

Soupe minute aux haricots et aux pâtes Dans une casserole, mettez 1 boîte de 400 g d'assortiment de haricots, 300 g de sauce tomate pour pâtes et 750 ml de bouillon de légumes chaud. Portez à ébullition, puis ajoutez 100 g de minipâtes pour soupe et poursuivez la cuisson selon les instructions de l'emballage. Servez avec des petits pains chauds.

20 MINUTES

Tortillas aux haricots Faites chauffer 1 c. à c. d'huile d'olive dans une cocotte et faites revenir 1 oignon haché 3 minutes à feu moyen. Incorporez ½ c. à c. de piment moulu et 1 boîte de 400 g de tomates concassées aux fines herbes, puis poursuivez la cuisson 5 minutes à feu vif. Ajoutez 200 g d'assortiment de légumes surgelé et poursuivez la cuisson 3 minutes. Incorporez 1 boîte de 400 g de haricots rouges, égouttés. Prenez 5 tortillas. Mettez-en 1 sur un plat allant au four, garnissez-la d'un peu de sauce et de 1 poignée de gruyère râpé. Déposez 1 autre tortilla par-dessus et répétez l'opération avec le reste des ingrédients, en finissant par du fromage. Faites cuire 10 minutes au four préchauffé à 180 °C. Coupez en quatre et servez avec de la crème fraîche et des oignons de printemps hachés.

Pâtes aux légumes grillés

Pour 4 personnes

2 courgettes coupées en morceaux
1 aubergine coupée en morceaux
1 gros oignon rouge coupé
en morceaux
4 c. à s. d'huile d'olive
1 gros oignon jaune haché
2 gousses d'ail émincées
500 g de tomates grossièrement
hachées
3 c. à s. de purée de tomates
4 c. à s. de persil ciselé
1 c. à s. de romarin ciselé
150 ml d'eau
250 g de fusillis
sel
pain grillé pour servir (facultatif)

- Mettez les courgettes, l'aubergine et l'oignon rouge dans un plat à rôtir et arrosez le tout de 3 cuillerées à soupe d'huile d'olive. Faites cuire les légumes 20 minutes au four préchauffé à 220 °C, jusqu'à ce qu'ils soient tendres et légèrement grillés.

- Pendant ce temps, faites chauffer 1 cuillerée à soupe d'huile d'olive dans une sauteuse à fond épais et, à feu assez vif, faites revenir 3 minutes l'oignon jaune et l'ail, en remuant. Ajoutez les tomates et poursuivez la cuisson 10 minutes, en remuant de temps en temps. Ajoutez la purée de tomates, les fines herbes et l'eau, portez à ébullition, réduisez le feu et laissez mijoter 5 minutes.

- Pendant la cuisson de la sauce, portez à ébullition une casserole d'eau salée et faites cuire les fusillis 10 à 12 minutes, puis égouttez-les.

- Mélangez les légumes, la sauce tomate et les fusillis. Servez dans des assiettes creuses chaudes, avec du pain grillé si vous le souhaitez.

10 MINUTES

Pâtes express aux légumes grillés Faites cuire 500 g de fusillis frais dans une casserole d'eau bouillante salée, pendant 3 à 4 minutes. Égouttez-les, remettez-les dans la casserole et incorporez 300 g de sauce aux légumes grillés pour pâtes, 300 g d'artichauts marinés, bien égouttés, et 1 c. à s. de romarin ciselé. Faites chauffer à feu moyen. Parsemez de parmesan râpé et servez immédiatement, avec du pain à l'ail.

20 MINUTES

Couscous aux légumes grillés et à la feta Mettez 2 courgettes, 1 aubergine et 1 gros oignon rouge coupés en morceaux dans un grand plat à rôtir et arrosez le tout de 3 c. à s. d'huile d'olive. Faites cuire les légumes 20 minutes au four préchauffé à 220 °C, jusqu'à ce qu'ils soient tendres et légèrement grillés. Pendant ce temps, mettez 200 g de couscous dans un saladier, puis versez de l'eau bouillante jusqu'à 1 cm au-dessus du couscous. Ajoutez ½ c. à c. de sel et laissez gonfler 15 minutes. Décollez les graines de couscous à l'aide d'une fourchette, puis incorporez 1 c. à s. d'huile d'olive et le jus de ½ citron. Incorporez les légumes grillés, salez et poivrez, puis parsemez de 200 g de feta émiettée et de basilic ciselé.

10 MINUTES

Salade gourmande de cresson

Pour 4 personnes

2 c. à s. d'huile d'olive

2 œufs

25 g de basilic grossièrement haché

200 g de feta égouttée
et émiettée

250 g de tomates cocktail
allongées, coupées en deux

80 g de cresson

1 c. à s. de vinaigre balsamique

poivre

- Faites chauffer 1 cuillerée à soupe d'huile d'olive dans une poêle antiadhésive de 25 cm de diamètre, en l'inclinant pour bien répartir l'huile. Battez les œufs avec le basilic dans un bol, poivrez bien, versez dans la poêle et laissez cuire 1 à 2 minutes, jusqu'à obtention d'une fine omelette. Retirez l'omelette et coupez-la en larges lanières.

- Pendant ce temps, mélangez la feta, les tomates et le cresson dans un saladier. Mélangez le reste de l'huile et le vinaigre balsamique, versez la vinaigrette sur la salade et remuez bien.

- Ajoutez les lanières d'omelette, mélangez et servez immédiatement, pendant que l'omelette est chaude.

20 MINUTES

Frittata tomate-feta-basilic

Faites chauffer 2 c. à s. d'huile d'olive dans une poêle de 25 cm de diamètre allant au four et inclinez-la pour bien répartir l'huile. Battez 6 œufs dans un bol, assaisonnez bien, puis versez dans la poêle et laissez cuire 2 à 3 minutes à feu moyen. Garnissez la frittata de 250 g de tomates cerises coupées en deux, de 200 g de feta égouttée et émiettée, et de 1 poignée d'olives noires dénoyautées. Poursuivez la cuisson 3 minutes, jusqu'à ce que le dessous ait pris, puis mettez la poêle sous le gril préchauffé à puissance forte et faites dorer 2 à 3 minutes, jusqu'à ce que le dessus ait pris et que la feta soit légèrement ramollie. Garnissez de 1 poignée de feuilles de roquette, décorez de basilic ciselé, arrosez de jus de citron. Coupez en parts et servez.

30 MINUTES

Pizza margarita à l'œuf

Préparez 150 g de préparation pour pâte à pizza selon les instructions du paquet et formez un disque de 25 cm de diamètre sur une plaque de cuisson. Garnissez la pâte de 8 c. à s. de coulis de tomate, puis de 100 g de tomates cerises coupées en deux, en laissant au centre un espace vide dans lequel vous casserez 1 œuf. Décorez de 1 poignée de feuilles de basilic et de 75 g de mozzarella râpée, en évitant l'œuf. Faites cuire 15 à 20 minutes au four préchauffé à 220 °C, jusqu'à ce que la base soit dorée et croustillante, et le fromage fondu.

20 MINUTES

Curry de patates douces aux pois chiches et noix de cajou

Pour 4 personnes

2 c. à s. d'huile végétale

1 oignon haché

4 patates douces pelées
   et coupées en morceaux

3 c. à s. de pâte de curry korma

400 g de pois chiches
   en conserve, égouttés

400 g de tomates concassées
   en conserve

400 ml de lait de coco en conserve

100 g de noix de cajou grillées

3 c. à s. de coriandre fraîche
   ciselée

naans chauds ou riz pour servir
   (facultatif)

- Faites chauffer l'huile dans une grande sauteuse à fond épais, puis faites revenir l'oignon et les patates douces pendant 5 minutes, à feu moyen, en remuant. Ajoutez la pâte de curry et laissez cuire 1 minute en remuant, puis versez les pois chiches, les tomates et le lait de coco, et portez à ébullition.

- À feu réduit, laissez mijoter 10 minutes, jusqu'à ce que la sauce ait légèrement épaissi et que les patates douces soient tendres. Incorporez la moitié des noix de cajou.

- Servez le curry garni de coriandre et du reste des noix de cajou, avec des naans chauds ou du riz.

10 MINUTES

Couscous patates douces, pois chiches et noix de cajou
Versez de l'eau bouillante sur 200 g de couscous, en suivant les instructions du paquet, et laissez gonfler 5 minutes. Pendant ce temps, faites chauffer 2 c. à s. d'huile végétale dans une sauteuse et, à feu moyen, faites revenir 5 minutes 1 oignon haché et 4 patates douces pelées et coupées en morceaux, en remuant. Ajoutez 1 boîte de 400 g de pois chiches, égouttés, et réchauffez le tout. Incorporez au couscous, puis ajoutez 3 c. à s. de coriandre ciselée et 125 g de noix de cajou grillées.

30 MINUTES

Korma royal de patates douces aux pois chiches et aux noix de cajou Avec un robot, mixez 50 g d'amandes émondées et 2 gousses d'ail jusqu'à obtention d'une pâte. Faites chauffer 2 c. à s. d'huile végétale dans une grande sauteuse et, à feu moyen, faites revenir 1 oignon haché, 4 patates douces pelées et coupées en morceaux, et 3 c. à s. de pâte de curry korma pendant 5 minutes, en remuant de temps en temps. Incorporez la pâte amandes-ail et poursuivez la cuisson 2 minutes en remuant, puis ajoutez 1 boîte de 400 g de pois chiches,

égouttés, 1 boîte de 400 g de tomates concassées, 275 ml de lait de coco et 125 ml de crème fraîche épaisse. Faites chauffer presque jusqu'à ébullition, puis réduisez le feu et laissez mijoter 10 minutes, jusqu'à ce que la sauce ait légèrement épaissi et que les patates douces soient tendres. Incorporez 50 g de noix de cajou grillées. Parsemez de 3 c. à s. de coriandre fraîche ciselée et 50 g de noix de cajou grillées supplémentaires. Servez avec des naans chauds ou du riz.

30 MINUTES

Brochettes de légumes et riz aux amandes

Pour 4 personnes

250 g de riz brun à cuisson rapide
1 aubergine coupée en dés
2 courgettes coupées en dés
200 g de champignons de Paris
   coupés en deux
150 ml d'huile d'olive
le zeste râpé et le jus de 2 citrons
4 c. à s. de persil plat
   + un peu pour décorer
1 c. à s. de romarin
250 g de tomates cerises
100 g d'amandes effilées grillées
2 carottes pelées et râpées
2 c. à s. de sauce soja claire
sel et poivre

- Faites cuire le riz selon les instructions du paquet. Égouttez-le et refroidissez-le sous l'eau froide, puis égouttez-le de nouveau.

- Pendant ce temps, mettez l'aubergine, les courgettes et les champignons dans un saladier. Fouettez l'huile d'olive, le zeste et le jus de citron avec le persil et le romarin ciselés dans un bol. Poivrez la sauce, puis versez-la sur les légumes et mélangez bien.

- Enfilez les légumes aromatisés et les tomates sur 8 piques à brochettes en métal. Faites griller les brochettes sous le gril du four préchauffé à puissance moyenne ou au barbecue pendant 8 à 10 minutes, en les retournant de temps en temps.

- Mélangez le riz, les amandes, les carottes, le reste du persil et la sauce soja. Poivrez légèrement. Servez les brochettes chaudes sur le riz.

10 MINUTES

Riz aux œufs et aux légumes

Battez 2 œufs dans un bol. Faites chauffer 1 c. à s. d'huile végétale dans une grande poêle, versez les œufs et laissez cuire l'omelette 1 à 2 minutes à feu moyen. Retirez-la et coupez-la en lanières. Faites chauffer 1 c. à s. d'huile dans la poêle et faites sauter 300 g de légumes surgelés à poêler pendant 3 à 4 minutes. Ajoutez 250 g de riz long grain précuit et les lanières d'omelette, puis mélangez. Ajoutez de la sauce soja claire et garnissez de 50 g d'amandes effilées grillées.

20 MINUTES

Brochettes de légumes et couscous à la menthe

Préparez les brochettes comme ci-dessus. Mettez 200 g de couscous dans un saladier puis versez de l'eau bouillante jusqu'à 1 cm au-dessus du couscous et laissez-le gonfler pendant la cuisson des brochettes. Fouettez 3 c. à s. d'huile d'olive, 2 c. à s. de jus de citron, 1 c. à s. de miel clair, ½ c. à c. de harissa et 1 poignée de menthe ciselée dans un bol, versez la sauce sur le couscous et mélangez bien. Servez avec les brochettes.

20 MINUTES

Stroganoff de champignons

Pour 4 personnes

4 c. à s. d'huile d'olive
1 oignon finement haché
375 g de champignons de Paris
    parés et coupés en quatre
175 g de champignons shiitaké
    parés et coupés en deux
100 g de pleurotes parés
    et coupés en deux
1 c. à s. de cognac
1 c. à c. de moutarde de Dijon
200 ml de crème fraîche
poivre
riz long grain blanc ou brun
    pour servir
4 c. à s. de persil ciselé

· Faites chauffer l'huile d'olive dans une grande poêle à fond épais et faites blondir l'oignon 2 à 3 minutes à feu moyen, en remuant. Ajoutez les champignons de Paris et faites-les revenir 5 minutes, en remuant. Ajoutez les autres champignons et poursuivez la cuisson 5 minutes, sans cesser de remuer.

· Versez le cognac et laissez cuire le tout, à feu vif, jusqu'à évaporation du liquide. Mélangez la moutarde et la crème fraîche, puis ajoutez ce mélange dans la poêle et laissez chauffer 2 minutes de plus, jusqu'à ce que le stroganoff soit bien chaud. Poivrez généreusement.

· Servez le stroganoff sur du riz, parsemé de persil.

10 MINUTES

Toasts de stroganoff de champignons Détaillez en tranches épaisses 250 g de champignons de couche bruns et 250 g de champignons portobello. Faites fondre 25 g de beurre à l'ail dans une poêle et faites sauter les champignons 4 à 5 minutes à feu vif, en remuant. Toastez et beurrez 4 grosses tranches de pain complet. Incorporez aux champignons 1 c. à s. de moutarde à l'ancienne et 300 ml de crème fraîche. Assaisonnez puis servez le stroganoff sur les toasts, parsemé de 1 c. à s. de ciboulette ciselée.

30 MINUTES

Stroganoff de champignons au poivre et à la moutarde Dans une sauteuse, faites fondre 25 g de beurre et 2 c. à c. d'huile d'olive. Ajoutez 1 poireau émincé, ainsi que 1 poivron rouge et 1 poivron vert épépinés et coupés en lanières, et faites revenir le tout 5 minutes à feu moyen, en remuant de temps en temps. Ajoutez 375 g de champignons de Paris parés et coupés en quatre, 175 g de champignons shiitaké parés et coupés en deux, et 100 g de pleurotes parés et coupés en deux, puis poursuivez la cuisson 3 minutes, en remuant.

Transférez le tout dans un plat. Versez 150 ml de vin blanc sec dans la sauteuse, portez à ébullition et laissez bouillir 2 à 3 minutes, jusqu'à ce que le liquide ait réduit de moitié. Mélangez 4 c. à c. de moutarde à l'ancienne, 2 c. à c. de moutarde forte et 400 ml de crème fraîche. Ajoutez ce mélange dans la sauteuse, mélangez, puis ajoutez les légumes. Laissez chauffer 2 minutes à feu doux, puis incorporez 4 c. à s. de persil plat ciselé et poivrez. Servez sur un lit de riz ou avec une purée de pommes de terre crémeuse.

20 MINUTES

Quesadillas aux haricots et salsa à l'avocat

Pour 4 personnes

1 c. à s. d'huile d'olive
6 oignons de printemps hachés
½ c. à c. de cumin moulu
½ c. à c. de coriandre moulue
½ c. à c. de paprika
430 g de haricots mexicains
   en purée, en conserve
200 g de haricots rouges
   en conserve, rincés et égouttés
8 tortillas de farine de blé
175 g de gruyère râpé

Pour la salsa

2 tomates coupées en petits dés
1 avocat coupé en petits dés
3 c. à s. de coriandre ciselée
1 c. à s. d'huile d'olive
poivre

- Faites chauffer l'huile d'olive dans une grande poêle à fond épais et faites revenir les oignons de printemps 2 minutes à feu vif, en remuant. Ajoutez les épices et poursuivez la cuisson 1 minute, en remuant. Ajoutez les haricots en purée et les haricots rouges, et laissez cuire 2 à 3 minutes, en remuant, jusqu'à ce que la préparation soit brûlante ; mouillez avec 2 cuillerées à soupe d'eau si nécessaire.

- Répartissez la préparation entre les 8 tortillas. Pliez-les en quatre de sorte à recouvrir la garniture, déposez-les sur un plat allant au four huilé et parsemez de gruyère râpé.

- Faites cuire 5 à 10 minutes sous le gril préchauffé à puissance moyenne, jusqu'à ce que le fromage ait fondu. Mélangez les ingrédients de la salsa.

- Dressez les quesadillas sur 4 assiettes chaudes et nappez-les de salsa.

---

10 MINUTES

Quesadillas minute Faites chauffer 1 c. à s. d'huile d'olive dans une poêle et, à feu vif, faites sauter 1 botte d'oignons de printemps, hachés, pendant 2 minutes, en remuant. Incorporez ½ c. à c. de cumin moulu, ½ c. à c. de coriandre moulue et ½ c. à c. de paprika, et poursuivez la cuisson 1 minute, en remuant. Ajoutez 430 g de haricots mexicains en purée, en conserve, et laissez cuire 2 à 3 minutes en remuant, jusqu'à ce que la préparation soit brûlante ; mouillez avec

2 c. à s. d'eau si nécessaire. Répartissez la préparation et 75 g de gruyère râpé sur 8 tortillas de farine de blé, puis ajoutez 1 cuillerée de sauce tomate cuisinée du commerce sur chacune. Pliez les tortillas en quatre de sorte à recouvrir la garniture, disposez-les sur la grille du four chemisée de papier d'aluminium, en les espaçant légèrement, et parsemez-les de 75 g de gruyère râpé. Passez 2 minutes sous le gril préchauffé à puissance moyenne. Parsemez de coriandre ciselée et servez.

30 MINUTES

Quesadillas aux haricots maison Faites chauffer 2 c. à s. d'huile d'olive dans une poêle, puis faites sauter 1 oignon haché et 1 petit piment rouge haché 5 minutes, à feu moyen, en remuant. Ajoutez 1 boîte de 400 g de haricots borlotti et poursuivez la cuisson 2 minutes, en remuant. Ajoutez 1 grosse poignée de coriandre fraîche et mixez au robot jusqu'à obtention d'un mélange granuleux. Suivez la recette ci-dessus, en remplaçant les haricots en purée en boîte par cette préparation.

Risotto au fromage de chèvre et aux épinards

Pour 4 personnes

1 c. à s. d'huile d'olive
1 gros oignon émincé
1 gousse d'ail hachée
250 g de riz arborio pour risotto
900 ml de bouillon de légumes chaud
300 g d'épinards en branches
le zeste râpé et le jus de 1 citron
175 g de fromage de chèvre sans croûte, coupé en dés
parmesan râpé
poivre

- Faites chauffer l'huile d'olive dans une sauteuse, puis faites blondir l'oignon et l'ail 3 à 4 minutes, à feu moyen, en remuant.

- Ajoutez le riz et remuez pendant 1 minute. Ajoutez la moitié du bouillon et portez à ébullition, puis réduisez le feu et laissez mijoter 5 à 6 minutes à feu modéré, en remuant, jusqu'à ce qu'il soit presque entièrement absorbé. Ajoutez le reste du bouillon et, en remuant de temps en temps, laissez mijoter jusqu'à ce que le riz soit tendre et que le bouillon soit presque absorbé. Ajoutez les épinards, le zeste et le jus de citron, et laissez cuire 2 à 3 minutes en remuant, jusqu'à ce que les épinards aient réduit.

- Ajoutez les dés de fromage de chèvre et mélangez le tout jusqu'à ce que le fromage s'affaisse légèrement. Dressez dans des assiettes creuses. Servez avec du parmesan et du poivre du moulin.

10 MINUTES

Tagliatelles chèvre-épinards

Portez une grande casserole d'eau salée à ébullition et faites cuire 500 g de tagliatelles fraîches, pendant 3 à 4 minutes. Faites chauffer 300 g de sauce tomate pour pâtes dans une casserole. Égouttez les tagliatelles et remettez-les dans la casserole. Incorporez la sauce tomate et 300 g d'épinards en branches, et laissez cuire à feu moyen jusqu'à ce que les épinards aient fondu. Servez avec 100 g de fromage de chèvre émietté et du parmesan râpé.

20 MINUTES

Pizzas chèvre-épinards

Prenez 4 pâtes à pizza toutes prêtes et étalez 1 c. à s. de purée de tomates sur chacune. Faites chauffer une grande sauteuse à feu moyen et faites cuire 300 g d'épinards jusqu'à ce qu'ils aient fondu, en faisant en sorte qu'ils n'attachent pas au fond de la sauteuse. Garnissez les fonds de pizza d'épinards et de 175 g de fromage de chèvre débarrassé de sa croûte et coupé en petits dés, puis de 75 g de parmesan râpé. Arrosez d'huile d'olive et faites cuire 10 minutes au four préchauffé à 200 °C. Servez avec une salade verte.

Haricots cannellini
à la tomate et au romarin

Pour 4 personnes

3 c. à s. d'huile d'olive

1 gros oignon rouge émincé

2 c. à c. de purée d'ail

2 c. à s. de romarin ciselé

800 g de haricots cannellini
en conserve, égouttés

500 g de sauce tomate
pour pâtes

pain complet croustillant

- Faites chauffer l'huile d'olive dans une sauteuse et faites revenir l'oignon 2 minutes à feu moyen, en remuant de temps en temps. Ajoutez la purée d'ail et le romarin, et laissez cuire 30 secondes en remuant.

- Ajoutez les haricots et la sauce tomate, puis portez à ébullition. Réduisez le feu, couvrez et laissez mijoter 6 à 7 minutes, jusqu'à ce que la préparation soit brûlante.

- Servez avec du pain complet bien frais, pour saucer.

20 MINUTES

Cassoulet végétarien Faites chauffer 3 c. à s. d'huile d'olive dans une sauteuse et faites revenir 1 petit oignon haché, 2 carottes pelées et coupées en petits dés, et 1 c. à s. de romarin ciselé 3 à 4 minutes, à feu moyen, en remuant de temps en temps. Ajoutez 800 g de haricots en conserve égouttés et 600 ml de bouillon de légumes, puis portez à ébullition. Laissez mijoter 10 minutes à découvert, jusqu'à ce que le cassoulet soit brûlant, puis mixez ⅓ des haricots au robot, jusqu'à obtention d'une pâte lisse. Remettez la pâte dans la sauteuse et laissez chauffer quelques instants. Salez et poivrez. Servez avec du pain bien croustillant.

30 MINUTES

Haricots aux saucisses végétariennes Faites chauffer 2 c. à s. d'huile d'olive dans une grande sauteuse à fond épais et faites revenir 8 saucisses végétariennes à feu moyen, 8 à 10 minutes, en remuant. Ajoutez 2 oignons rouges coupés en fins quartiers et prolongez la cuisson 5 minutes. Ajoutez 800 g de haricots de Lima en conserve égouttés, 800 g de tomates concassées en conserve et 4 c. à s. de concentré de tomate. Portez à ébullition et laissez mijoter 10 minutes à découvert, en remuant de temps en temps, pour que la sauce épaississe. Servez dans des assiettes creuses chaudes, parsemé de persil haché.

30 MINUTES

Halloumi grillé
et salade de couscous chaude

Pour 4 personnes

200 g de couscous
½ c. à c. de sel
5 c. à s. d'huile d'olive
2 oignons rouges émincés
1 piment rouge grossièrement
   haché
400 g de pois chiches
   en conserve, égouttés
175 g de tomates cerises coupées
   en deux
3 c. à s. de persil ciselé
1 c. à s. de feuilles de thym frais
375 g de halloumi coupé
   en tranches épaisses

- Mettez le couscous dans un saladier et versez de l'eau bouillante jusqu'à 1 cm au-dessus du niveau du couscous. Salez et laissez gonfler 20 minutes.

- Faites chauffer 3 cuillerées à soupe d'huile d'olive dans une poêle, puis faites dorer les oignons et ⅔ du piment à feu moyen, pendant 4 à 5 minutes, en remuant. Ajoutez les pois chiches et les tomates cerises, et poursuivez la cuisson 3 minutes à feu vif, en remuant.

- Mélangez le reste de l'huile d'olive et du piment avec les fines herbes dans une assiette creuse. Nappez les tranches de halloumi de cette huile, puis disposez-les sur la grille du four chemisée de papier d'aluminium et passez-les 2 à 3 minutes sous le gril chaud.

- Mélangez le couscous et la préparation à base de pois chiches, et laissez chauffer 1 minute. Dressez le couscous sur des assiettes chaudes, recouvert de tranches de halloumi.

10 MINUTES

Halloumi express au piment

Mélangez 2 piments rouges hachés et 2 c. à s. d'huile d'olive vierge extra, et laissez reposer pendant la cuisson du halloumi. Faites chauffer une poêle à feu vif. Coupez 375 g de halloumi en tranches moyennes, puis faites-les griller 2 minutes de chaque côté, en plusieurs fois. Prenez 4 assiettes de service, déposez sur chacune 1 poignée de feuilles de salade et quelques tranches de halloumi. Remuez l'huile pimentée, puis arrosez les assiettes d'huile et d'un peu de jus de citron pressé.

20 MINUTES

Brochettes de halloumi au couscous Mettez 200 g de couscous dans un saladier et versez de l'eau bouillante jusqu'à 1 cm au-dessus du niveau du couscous. Ajoutez ½ c. à c. de sel et laissez gonfler 20 minutes. Dans un bol, mélangez 3 c. à s. d'huile d'olive, 1 gousse d'ail écrasée, 1 c. à c. de thym, 1 c. à s. d'origan, 1 c. à s. de menthe et 1 c. à s. de romarin frais ciselés, et le jus de 1 citron vert. Salez et poivrez. Mettez 375 g de halloumi coupé en dés de 2,5 cm de côté et 8 champignons de Paris parés dans un bol non métallique, versez la marinade, mélangez, couvrez et laissez mariner. Enfilez le fromage, les champignons et 8 tomates cerises sur 4 piques à brochettes en métal (ou en bambou, trempées 30 minutes dans l'eau froide). Faites griller les brochettes au barbecue ou sous le gril du four chaud pendant 5 à 6 minutes, en les badigeonnant de temps en temps avec le reste de la marinade. Servez les brochettes avec le couscous et une sauce du commerce.

 **MINUTES**

Penne à la courge butternut et au pesto

Pour 4 personnes

500 g de penne frais
2 c. à s. d'huile d'olive
25 g de beurre
500 g de courge butternut
coupée en dés ou en quartiers
200 g de pesto
sel

- Portez une grande casserole d'eau salée à ébullition et faites cuire les penne, pendant 3 minutes environ. Égouttez-les, remettez-les dans la casserole et ajoutez 1 cuillerée à soupe d'huile d'olive.

- Faites fondre le beurre avec le reste de l'huile dans une grande poêle à fond épais ou un wok,puis faites dorer les dés de courge à feu moyen, en les retournant souvent, pendant 7 à 8 minutes ; couvrez pendant les 3 dernières minutes de la cuisson pour les faire cuire à l'étouffée.

- Ajoutez les pâtes et le pesto, mélangez bien et laissez chauffer 1 minute. Servez dans des assiettes creuses chaudes.

20 MINUTES

Penne à la courge, au lard fumé et au camembert Faites cuire la courge butternut comme ci-dessus. Faites cuire 200 g de penne 10 à 12 minutes dans de l'eau bouillante salée, puis égouttez-les. Faites griller 8 tranches de lard fumé sans couenne et coupez-les en lanières. Mélangez le lard, la courge et les pâtes. Dans une poêle chaude, faites griller 75 g de pignons de pin 3 à 4 minutes à feu vif. Dans un saladier, mélangez tous les ingrédients, ajoutez 100 g de camembert en dés et 150 g de mesclun. Fouettez 2 c. à s. d'huile d'olive, 1 c. à s. de pesto et le jus de ½ citron, et arrosez les pâtes de cette sauce.

30 MINUTES

Gratin de penne à la courge butternut Portez une grande casserole d'eau salée à ébullition et faites cuire 500 g de penne frais, pendant 3 minutes environ. Égouttez-les, remettez-les dans la casserole et ajoutez 1 cuillerée à soupe d'huile d'olive. Faites fondre 25 g de beurre avec 1 c. à s. d'huile d'olive dans une grande poêle à fond épais ou un wok et, à feu moyen, faites dorer 500 g de courge butternut coupée en dés, en les retournant souvent, pendant 7 à 8 minutes ; couvrez pendant les 3 dernières minutes de cuisson et, 1 minute avant la fin, incorporez 250 g de petits pois frais ou décongelés. Ajoutez ensuite 400 ml de crème fraîche, le zeste râpé de 1 citron et 4 c. à s. de pesto, mélangez, puis incorporez 200 g de feta émiettée et 200 g de pousses d'épinard. Prolongez la cuisson de 2 minutes en remuant, jusqu'à ce que la sauce soit bien chaude et que les épinards aient rendu leur eau. Mélangez la préparation avec les pâtes, versez le tout dans un grand plat à gratin et parsemez de 6 c. à s. de parmesan râpé. Faites gratiner 3 à 4 minutes sous le gril très chaud.

10 MINUTES

Bruschette aux légumes méditerranéens

Pour 4 personnes

5 c. à s. d'huile d'olive + un peu
d'huile supplémentaire
½ aubergine parée et coupée
en fines tranches
1 ciabatta
4 c. à s. de pesto rouge
1 grosse tomate cœur-de-bœuf
coupée en fines rondelles
4 tranches de mozzarella
poivre

- Faites chauffer l'huile d'olive dans une poêle et faites griller les tranches d'aubergine à feu vif en plusieurs fois, 1 à 2 minutes de chaque côté. Gardez-les au chaud.

- Coupez la ciabatta en deux dans la longueur, puis chaque moitié en deux. Déposez les morceaux de pain sur la grille du four et passez-les 1 minute sous le gril préchauffé à puissance forte, côté tranché vers le haut.

- Tartinez chaque toast de 1 cuillerée à soupe de pesto. Garnissez-les d'aubergine, puis de tomate et de mozzarella. Arrosez chaque toast de 1 cuillerée à soupe d'huile d'olive, puis passez-les 2 minutes sous le gril, jusqu'à ce que la mozzarella commence à fondre et à griller.

- Poivrez et servez chaud.

20 MINUTES

**Pizzas sur ciabatta
à la méditerranéenne**

Coupez 1 ciabatta en deux dans la longueur, puis chaque moitié en deux. Mettez le tout sur une plaque de cuisson. Faites chauffer 4 c. à s. d'huile d'olive dans une grande poêle à fond épais et, à feu vif, faites griller ½ aubergine coupée en dés, pendant 5 minutes, en remuant souvent. Tartinez chaque morceau de ciabatta de 2 c. à s. de concentré de tomate, répartissez sur les tartines 1 tomate cœur-de-bœuf coupée en tranches, puis les dés d'aubergine. Coupez

150 g de mozzarella en tranches et déposez-les sur les pizzas. Garnissez chaque pizza de 2 c. à c. de pesto, puis faites-les griller 5 minutes sous le gril préchauffé.

30 MINUTES

**Gratin de légumes
méditerranéens** Faites chauffer 4 c. à s. d'huile dans une poêle et, à feu vif, faites griller en plusieurs fois 1 aubergine coupée en tranches, 1 à 2 minutes de chaque côté. Garnissez un grand plat à gratin avec les tranches d'aubergine, 3 grosses tomates cœur-de-bœuf coupées en rondelles, 300 g de mozzarella égouttée et coupée en fines tranches, et 6 c. à s. de pesto, en assaisonnant les différentes couches. Parsemez de 3 c. à s. de parmesan râpé et faites gratiner 8 à 10 minutes sous le gril du four préchauffé.

30 MINUTES

Tajine fruité aux pois chiches et couscous à la coriandre

Pour 4 personnes

200 g de couscous
½ c. à c. de sel
4 c. à s. d'huile d'olive
1 aubergine coupée en dés
1 oignon rouge en morceaux
2 poivrons rouges en morceaux
1 c. à s. de harissa
2 gousses d'ail hachées
2,5 cm de gingembre frais,
    pelé et haché
1 bâton de cannelle
400 g de pois chiches en conserve,
    égouttés
400 g de tomates concassées
    en conserve
300 ml de bouillon de légumes
1 c. à s. de concentré de tomate
1 c. à c. de sucre
100 g d'abricots secs hachés
50 g de pruneaux hachés
4 c. à s. de coriandre ciselée
    + un peu pour décorer

• Mettez le couscous dans un saladier et versez de l'eau bouillante jusqu'à 1 cm au-dessus du niveau du couscous. Ajoutez ½ cuillerée à café de sel et laissez le couscous gonfler.

• Faites chauffer 2 cuillerées à soupe d'huile d'olive dans une grande poêle à fond épais et faites revenir l'aubergine 5 minutes à feu moyen, en remuant de temps en temps. Ajoutez l'oignon et les poivrons, et poursuivez la cuisson 5 minutes, en remuant de temps en temps. Incorporez la harissa, l'ail et le gingembre, puis faites cuire 2 minutes de plus, en remuant. Ajoutez la cannelle, les pois chiches, les tomates, le bouillon, le concentré de tomate, le sucre et les fruits secs, puis portez à ébullition. À feu réduit, couvrez et laissez mijoter 10 à 15 minutes, jusqu'à ce que les légumes soient tendres.

• Mélangez le couscous avec le reste de l'huile, en décollant les graines à l'aide d'une fourchette. Incorporez la coriandre. Servez le couscous avec le tajine, en décorant chaque assiette d'un peu de coriandre fraîche ciselée supplémentaire.

10 MINUTES

Pitas au houmous Faites griller 4 pitas. Coupez chaque pita en deux pour former un cornet et garnissez chacun de 1 c. à s. de houmous, puis répartissez 1 grosse carotte râpée et ¼ de concombre en petits dés entre les 4 pitas. Servez aussitôt.

20 MINUTES

Salade de pois chiches à la tomate et à la feta Émincez 1 oignon rouge et 2 piments rouges, puis mélangez le tout avec 250 g de tomates coupées en dés dans un saladier. Arrosez du jus de 1 ½ citron et d'environ 6 c. à s. d'huile d'olive vierge extra. Salez et poivrez. Dans une casserole, faites chauffer 1 boîte de 400 g de pois chiches égouttés et 4 c. à s. d'eau, puis ajoutez environ 90 % de cette préparation dans le saladier. Écrasez le reste des pois chiches en purée avec une fourchette et incorporez-la dans le saladier. Laissez reposer 5 minutes, puis émiettez 200 g de feta sur la salade et décorez d'un peu de menthe et de basilic ciselés.

30 MINUTES

Gratin feuilleté aux épinards, aux pignons et au fromage

Pour 4 personnes

1 c. à s. d'huile d'olive

1 oignon rouge grossièrement
   haché

1 gousse d'ail émincée

75 g de pignons de pin grillés

1 kg d'épinards surgelés,
   décongelés et bien égouttés

2 œufs

2 jaunes d'œufs

400 g de feta égouttée
   et émiettée

2 c. à c. de noix de muscade râpée

6 feuilles de pâte filo fraîches
   ou décongelées

25 g de beurre fondu

25 g de parmesan fraîchement
   râpé

sel et poivre

1 petite salade verte assaisonnée
   d'huile d'olive et de jus de citron

- Faites chauffer l'huile d'olive dans une grande sauteuse
  à fond épais, puis faites blondir l'oignon et l'ail 5 minutes
  à feu moyen, en remuant. Ajoutez les pignons et les épinards,
  et prolongez la cuisson de 3 à 4 minutes, en remuant,
  jusqu'à ce que la préparation soit bien chaude.

- Retirez du feu et versez dans un saladier. Ajoutez les œufs
  entiers, les jaunes d'œufs, la feta et la muscade, mélangez
  bien, salez légèrement et poivrez généreusement.

- Versez le tout dans un grand plat à gratin.

- Recouvrez de feuilles de pâte filo que vous froisserez
  légèrement, badigeonnez-les de beurre fondu et parsemez
  de parmesan. Faites gratiner 10 à 12 minutes au four
  préchauffé à 180 °C.

- Servez le gratin chaud, avec quelques feuilles de salade
  assaisonnées d'huile d'olive et de jus de citron.

10 MINUTES

**Tortellinis épinards-ricotta
au pesto** Portez une grande
casserole d'eau salée à ébullition
et faites cuire 500 g de tortellinis
épinards-ricotta frais pendant
2 à 3 minutes. Égouttez-les,
remettez-les dans la casserole
et incorporez 4 c. à s. de pesto.
Servez les tortellinis parsemés
de copeaux de parmesan.

20 MINUTES

Œufs cocotte à la florentine
Dans un saladier, mélangez
1 kg d'épinards décongelés
bien égouttés, 400 g de feta
égouttée et émiettée, et
2 c. à s. de yaourt à la grecque.
Répartissez la préparation dans
4 ramequins, puis cassez 1 œuf
dans chacun, salez et poivrez.
Garnissez ensuite chaque
ramequin de 1 c. à s. de yaourt
à la grecque. Mettez le tout dans
un grand plat allant au four et
versez de l'eau bouillante jusqu'à
mi-hauteur des ramequins.
Déposez le plat sur la grille
centrale du four et faites
gratiner 10 minutes au four
préchauffé à 180 °C. Servez
aussitôt.

30 MINUTES

Biryani aux légumes et aux raisins de Smyrne

Pour 4 personnes

250 g de riz basmati

½ chou-fleur détaillé en bouquets

2 c. à s. d'huile végétale

2 grosses patates douces pelées et coupées en dés

1 gros oignon rouge émincé

3 c. à s. de pâte de curry rouge fort

½ c. à c. de curcuma moulu

2 c. à c. de graines de moutarde

300 ml de bouillon de légumes chaud

250 g de haricots verts fins équeutés et coupés en deux

100 g de raisins de Smyrne

6 c. à s. de coriandre ciselée

50 g de noix de cajou légèrement grillées

· Portez une grande casserole d'eau salée à ébullition et faites cuire le riz 5 minutes. Ajoutez le chou-fleur et poursuivez la cuisson 10 minutes, jusqu'à ce que le riz et le chou-fleur soient tendres, puis égouttez.

· Faites chauffer l'huile dans une grande poêle à fond épais, puis faites revenir les patates douces et l'oignon 10 minutes à feu moyen, en remuant. Ajoutez la pâte de curry, le curcuma et les graines de moutarde, et laissez cuire 2 minutes de plus, en remuant.

· Ajoutez le bouillon et les haricots verts. Portez à ébullition, réduisez le feu et laissez mijoter 5 minutes.

· Incorporez le riz et le chou-fleur, les raisins de Smyrne, la coriandre et les noix de cajou, et laissez mijoter le tout 2 minutes. Servez avec des papadums et du raïta.

10 MINUTES

Curry de légumes minute

Faites cuire 250 g de bouquets de chou-fleur surgelés et 250 g de haricots verts surgelés dans une grande casserole d'eau salée, selon les instructions des emballages. Égouttez, remettez dans la casserole, ajoutez 400 g de sauce au curry biryani et poursuivez la cuisson. Pendant ce temps, réchauffez 400 g de riz précuit selon les instructions du paquet. Servez le riz avec le curry, parsemez le tout de noix de cajou et accompagnez de papadums et de raïta.

20 MINUTES

Gratin de légumes au curry

Faites fondre 25 g de beurre dans une casserole, ajoutez 25 g de farine ordinaire et laissez cuire quelques secondes à feu moyen, en remuant. Hors du feu, ajoutez 300 ml de lait par petites quantités, en mélangeant bien. Incorporez 50 g de gruyère râpé et ½ c. à c. de curry en poudre. Remettez sur le feu, portez à ébullition et laissez cuire jusqu'à épaississement, sans cesser de remuer. Ajoutez 500 g de légumes surgelés assortis (carottes, haricots verts, bouquets de chou-fleur...) et mélangez bien. Répartissez dans des ramequins et saupoudrez de 2 c. à s. de chapelure fraîche. Posez les ramequins sur une plaque de cuisson et faites gratiner 8 à 10 minutes sous le gril du four préchauffé.

20 MINUTES

Pad thaï aux légumes

Pour 4 personnes

175 g de nouilles de riz plates
2 c. à s. d'huile de sésame
2 œufs battus
1 c. à s. d'huile végétale
200 g de pousses de haricot mungo
1 botte d'oignons de printemps,
  parés et grossièrement hachés
1 c. à c. de flocons de piment séché
1 c. à s. de sauce de poisson thaïe
1 c. à s. de sucre roux
50 g de cacahuètes salées
  grossièrement concassées
4 c. à s. de coriandre fraîche ciselée
quelques quartiers de citron vert

- Mettez les nouilles dans un saladier résistant à la chaleur, couvrez-les d'eau bouillante et laissez gonfler le temps indiqué sur le paquet. Égouttez-les et ajoutez 1 cuillerée à soupe d'huile de sésame.

- Faites chauffer le reste de l'huile de sésame dans une poêle, versez les œufs en une fine omelette et laissez dorer 1 à 2 minutes à feu moyen. Retirez l'omelette, coupez-la en fines lanières et ajoutez-la aux nouilles.

- Faites chauffer l'huile végétale dans la casserole et faites sauter les pousses de haricot mungo et les oignons de printemps 2 à 3 minutes à feu vif, puis incorporez les flocons de piment. Mélangez la sauce de poisson et le sucre, ajoutez ce mélange aux nouilles, versez le tout dans la poêle, avec les cacahuètes, et laissez cuire 2 à 4 minutes, en remuant.

- Servez le pad thaï dans des bols chauds, parsemé de coriandre, avec des quartiers de citron vert.

10 MINUTES

Pad thaï instantané Battez 2 œufs dans un bol. Faites chauffer 1 c. à s. d'huile de sésame dans une grande poêle à fond épais, versez les œufs en une fine omelette et faites dorer 1 à 2 minutes à feu moyen. Retirez l'omelette du feu, coupez-la en lanières et ajoutez-la à 375 g de nouilles de riz précuites. Faites chauffer l'huile végétale dans la poêle, puis faites sauter 200 g de pousses de haricot mungo et 1 botte d'oignons de printemps, parés et hachés, pendant 2 à 3 minutes à feu vif. Ajoutez les nouilles, les lanières d'omelette et 120 g de sauce pour pad thaï, et faites sauter jusqu'à ce que le tout soit bien chaud. Parsemez de cacahuètes salées et servez.

30 MINUTES

Patates douces et pois gourmands à la thaïe Dans une sauteuse chaude huilée, faites revenir 750 g de patates douces coupées en dés 8 à 10 minutes, à feu moyen, en remuant. Ajoutez 250 g de pois gourmands, 1 botte d'oignons de printemps hachés, 3 c. à s. de sucre roux, 2 c. à s. de sauce de poisson thaïe et 1 c. à c. de flocons de piment séché, et prolongez la cuisson de 6 à 8 minutes, en remuant. Parsemez de 50 g de coriandre ciselée et de 125 g de noix de cajou grillées.

30 MINUTES

Dhal de lentilles corail aux légumes

Pour 4 personnes

4 c. à s. d'huile végétale

1 gros oignon grossièrement haché

1 aubergine parée et coupée
   en morceaux

1 poivron rouge épépiné
   et coupé en morceaux

250 g de gombos parés et coupés
   en tronçons de 2,5 cm

175 g de lentilles corail rincées

3 c. à s. de pâte de curry balti

600 ml de bouillon de légumes

3 c. à s. de menthe hachée

200 g de yaourt nature

5 c. à s. de coriandre fraîche ciselée

sel et poivre

naans chauds pour servir

- Faites chauffer l'huile dans une cocotte et, à feu moyen, faites revenir l'oignon et l'aubergine 5 minutes, en remuant de temps en temps, jusqu'à ce qu'ils soient ramollis.

- Ajoutez le poivron rouge et les gombos, poursuivez la cuisson 3 à 4 minutes, en remuant fréquemment, puis ajoutez les lentilles et la pâte de curry. Mélangez bien et versez le bouillon. Portez à ébullition, réduisez le feu, couvrez et laissez mijoter 20 minutes, jusqu'à ce que les lentilles soient tendres.

- Pendant ce temps, mélangez la menthe et le yaourt. Ôtez la casserole du feu, incorporez la coriandre, salez et poivrez légèrement. Servez avec du yaourt à la menthe et des naans chauds.

10 MINUTES

Soupe express de lentilles corail aux légumes et au piment
À feu moyen, faites chauffer 2 c. à s. d'huile d'olive dans une cocotte et, en remuant, faites revenir 2 oignons hachés, 1 piment rouge finement haché, le zeste râpé de 1 citron et 1 c. à c. de cumin moulu, pendant 2 minutes. Ajoutez 200 g de lentilles corail rincées, 200 g de légumes assortis surgelés et 750 ml de bouillon de légumes chaud, puis laissez mijoter 8 minutes. Incorporez de la menthe ciselée. Servez avec du yaourt nature et des pitas.

20 MINUTES

Balti de légumes Faites chauffer 4 c. à s. d'huile végétale dans une cocotte puis, à feu moyen, faites revenir 1 gros oignon haché et 1 aubergine parée et coupée en dés pendant 5 minutes, en remuant de temps en temps. Ajoutez 1 poivron rouge épépiné et coupé en morceaux et 250 g de gombos parés et coupés en tronçons de 2,5 cm, et faites cuire le tout 3 à 4 minutes, en remuant. Ajoutez 3 c. à s. de pâte de curry balti et 600 ml de bouillon de légumes. Portez à ébullition, réduisez le feu, couvrez et laissez mijoter 10 minutes. Pendant ce temps, préparez le yaourt à la menthe comme ci-dessus. Servez avec des naans chauds et du riz précuit réchauffé selon les instructions du paquet.

Spaghettis à la tomate et au piment

20 MINUTES

Pour 4 personnes

250 g de spaghettis
2 c. à s. d'huile d'olive
2 échalotes finement hachées
1 piment rouge finement haché
2 gousses d'ail émincées
500 g de tomates grossièrement
  hachées
3 c. à s. de concentré de tomate
150 ml de vin rouge
6 c. à s. de persil ciselé
sel et poivre
parmesan fraîchement râpé
  (facultatif)

- Faites cuire les spaghettis dans de l'eau bouillante salée pendant 8 à 10 minutes. Égouttez-les, remettez-les dans la casserole et ajoutez 1 cuillerée à soupe d'huile d'olive.

- Faites chauffer le reste de l'huile dans une sauteuse et faites revenir les échalotes, le piment et l'ail à feu moyen, en remuant souvent, pendant 2 à 3 minutes. Ajoutez les tomates, augmentez le feu et poursuivez la cuisson 5 minutes, en remuant de temps en temps. Incorporez le concentré de tomate et le vin, couvrez et laissez mijoter 10 minutes jusqu'à épaississement.

- Incorporez le persil et poivrez. Ajoutez les spaghettis et mélangez bien. Servez avec du parmesan râpé si vous le souhaitez.

10 MINUTES

Spaghettis tomate, piment et olives noires Portez une casserole d'eau salée à ébullition et faites cuire les spaghettis, pendant 8 à 10 minutes. Égouttez-les, remettez-les dans la casserole et ajoutez 1 c. à s. d'huile d'olive. Pendant ce temps, faites chauffer 2 c. à s. d'huile d'olive dans une poêle et, en remuant, faites revenir 2 échalotes hachées, 1 piment rouge haché et 2 gousses d'ail émincées pendant 2 à 3 minutes, à feu moyen. Ajoutez 500 g de sauce tomate et 250 g d'olives noires dénoyautées hachées, et faites chauffer le tout. Incorporez 6 c. à s. de persil haché, poivrez et servez avec du parmesan râpé.

30 MINUTES

Spaghettis à la tomate et à l'aubergine grillée Faites cuire 250 g de spaghettis dans de l'eau bouillante salée, pendant 8 à 10 minutes. Égouttez-les, remettez-les dans la casserole et ajoutez 1 c. à s. d'huile d'olive. Pendant ce temps, parez 1 aubergine, coupez-la en gros morceaux et mélangez-les avec 4 c. à s. d'huile d'olive dans un plat à rôtir. Faites cuire 20 minutes au four préchauffé à 220 °C. Pendant la cuisson des pâtes et de l'aubergine, faites chauffer 2 c. à s. d'huile d'olive dans une poêle et, à feu moyen, faites revenir 2 échalotes finement hachées, 1 piment rouge finement haché et 2 gousses d'ail émincées pendant 2 à 3 minutes, en remuant. Ajoutez 500 g de tomates, augmentez le feu et poursuivez la cuisson 5 minutes, en remuant. Ajoutez 3 c. à s. de concentré de tomate et 150 ml de vin rouge, couvrez et laissez mijoter 10 minutes jusqu'à épaississement, en ajoutant l'aubergine grillée un peu avant la fin de la cuisson. Incorporez 6 c. à s. de persil ciselé, poivrez, ajoutez les spaghettis et mélangez bien. Servez aussitôt.

Curry de chou-fleur, pommes de terre et épinards

Pour 4 personnes

3 c. à s. d'huile végétale

1 gros oignon grossièrement haché

1 chou-fleur paré et détaillé
en bouquets

500 g de pommes de terre
pelées et coupées en morceaux

2 c. à c. de graines de cumin

4 c. à s. de pâte de curry korma

400 ml de lait de coco en conserve

300 ml de bouillon de légumes

300 g d'épinards en branches

4 c. à s. de coriandre fraîche
ciselée

sel et poivre

naans chauds pour servir

- Faites chauffer l'huile dans une cocotte et faites revenir l'oignon 2 à 3 minutes à feu moyen, en remuant de temps en temps. Ajoutez le chou-fleur, les pommes de terre et le cumin. Laissez cuire 4 à 5 minutes en remuant de temps en temps, jusqu'à ce que les pommes de terre commencent à dorer.

- Ajoutez la pâte de curry, mélangez bien, versez le lait de coco et le bouillon, puis portez à ébullition. Réduisez le feu, couvrez et laissez mijoter le tout 20 minutes, en remuant de temps en temps. Ajoutez les épinards 5 minutes avant la fin de la cuisson.

- Salez et poivrez généreusement, et incorporez la coriandre. Servez avec des naans chauds.

10 MINUTES

Curry vert de chou-fleur

Faites cuire 250 g de bouquets de chou-fleur et 250 g de haricots verts surgelés dans l'eau bouillante salée, selon les instructions des paquets. Égouttez et remettez dans la casserole. Ajoutez 400 g de sauce au curry vert thaïe et faites chauffer le tout, en remuant délicatement. Servez avec du riz jasmin thaï précuit, réchauffé selon les instructions du paquet.

20 MINUTES

Gratin de chou-fleur aux épinards

Parez 1 chou-fleur, coupez-le en bouquets. Mettez dans un cuit-vapeur, avec 2 feuilles de laurier déchiquetées et un peu de muscade râpée, et laissez cuire 12 minutes. Pendant ce temps, rincez 300 g d'épinards et faites-les cuire dans une grande casserole, à feu moyen, jusqu'à ce qu'ils aient fondu. Pressez-les pour ôter l'excédent de jus. Mettez le chou-fleur et les épinards dans un grand plat à gratin huilé et répartissez dessus 350 g de sauce au fromage pour pâtes. Parsemez de 100 g de chapelure et de 50 g de parmesan râpé. Faites gratiner 8 minutes au four préchauffé à 200 °C. Servez avec une salade verte.

30 MINUTES

Gratin de courge butternut à la tomate et à l'oignon rouge

Pour 4 personnes

75 g de beurre

2 oignons rouges émincés

750 g de courge butternut pelée,
épépinée et coupée
en fines tranches

2 c. à s. de persil ciselé

3 tomates coupées
en fines tranches

150 ml de bouillon de légumes

25 g de farine ordinaire

300 ml de lait

½ c. à c. de noix de muscade
fraîchement râpée

1 c. à c. de moutarde de Dijon

150 g de gruyère râpé

Pour servir

pain croustillant

salade verte

· À feu moyen, faites fondre 50 g de beurre dans une grande poêle à fond épais ou un wok, puis faites revenir les oignons et la courge 5 minutes, en remuant. Ajoutez le persil, les tomates et le bouillon, et portez à ébullition. Réduisez le feu, couvrez et laissez mijoter 5 minutes.

· Pendant ce temps, faites fondre le reste du beurre dans une casserole, ajoutez la farine et faites cuire quelques secondes à feu moyen, en remuant. Hors du feu, ajoutez le lait par petites quantités, en mélangeant bien. Remettez sur le feu, portez à ébullition et laissez cuire jusqu'à épaississement, sans cesser de remuer. Hors du feu, ajoutez la muscade, la moutarde et la moitié du gruyère, et mélangez bien. Incorporez cette sauce au mélange à la courge.

· Versez le tout dans un grand plat à gratin, parsemez du reste du gruyère et faites gratiner 10 minutes sous le gril préchauffé à puissance moyenne. Servez avec du pain et une salade verte.

10 MINUTES

Spaghettis à la courge butternut et aux tomates séchées Dans une casserole d'eau bouillante salée, faites cuire 500 g de spaghettis frais, pendant 3 à 4 minutes, puis égouttez-les. Pendant ce temps, faites chauffer 1 c. à s. d'huile d'olive dans une poêle et faites revenir 1 oignon rouge finement haché, à feu moyen, en remuant. En même temps, faites cuire au micro-ondes 300 g de courge butternut en morceaux jusqu'à ce qu'elle soit tendre, puis ajoutez-la dans la poêle. Incorporez 8 tomates séchées égouttées et coupées en morceaux et 3 c. à s. de vinaigre balsamique, puis ajoutez le tout aux spaghettis. Assaisonnez, ajoutez 2 poignées de basilic ciselé et 200 g de feta égouttée et émiettée. Mélangez et servez.

20 MINUTES

Pâtes, courge butternut, tomates et oignons rouges À feu moyen, faites fondre 50 g de beurre dans une poêle, puis faites revenir 2 oignons rouges émincés et 750 g de courge butternut coupée en tranches, pendant 5 minutes. Ajoutez 2 c. à s. de persil ciselé, 3 tomates coupées en rondelles et 150 ml de bouillon de légumes, et portez à ébullition. Couvrez et laissez mijoter 5 minutes. Faites cuire 250 g de fusillis. Ajoutez-les à la sauce et mélangez.

10 MINUTES

Dhal au lait de coco et naans grillés

Pour 4 personnes

1 c. à s. d'huile végétale

1 oignon rouge grossièrement haché

2 c. à s. de pâte de curry korma

125 g de lentilles corail rincées

400 ml de lait de coco en conserve

naans pour servir

- Faites chauffer l'huile dans une cocotte et faites revenir l'oignon à feu vif, en remuant, pendant 1 minute, puis ajoutez la pâte de curry et les lentilles. Versez le lait de coco dans la cocotte, remplissez d'eau la boîte vide, puis versez également cette eau dans la cocotte. Laissez mijoter 8 à 9 minutes à découvert, jusqu'à ce que les lentilles soient tendres et que le dhal ait épaissi.

- Pendant ce temps, faites griller les naans sous le gril du four préchauffé à puissance forte. Coupez-les en larges lanières et servez-les avec le dhal pour saucer.

20 MINUTES

Dhal au lait de coco et naans à l'oignon Préparez le dhal comme ci-dessus. Pendant ce temps, faites chauffer 2 c. à s. d'huile dans une grande poêle à fond épais, puis faites revenir 2 oignons jaunes et 1 oignon rouge hachés pendant 5 minutes à feu moyen, en remuant de temps en temps. Ajoutez 8 c. à s. de lait de coco, 3 c. à s. de pâte de curry korma, 1 c. à s. de graines de moutarde et 200 g d'épinards, et laissez cuire le tout 2 minutes en remuant, jusqu'à ce que les épinards aient fondu. Faites griller 2 naans d'un seul côté sous le gril préchauffé à puissance moyenne. Retournez-les, répartissez dessus la préparation à l'oignon et décorez de 4 c. à s. de coriandre fraîche ciselée et de 2 c. à s. de noix de coco séchée. Faites griller les naans 3 à 4 minutes, jusqu'à ce que la noix de coco soit dorée. Servez les naans chauds, coupés en deux, en accompagnement du dhal.

30 MINUTES

Dhal aux légumes et naans grillés Faites chauffer 4 c. à s. d'huile végétale dans une cocotte, à feu vif, puis faites revenir 1 gros oignon grossièrement haché avec 1 grosse courgette et 1 aubergine parées et coupées en morceaux, pendant 10 minutes, en remuant de temps en temps. Ajoutez 4 c. à s. de pâte de curry korma et 125 g de lentilles corail rincées. Versez 600 ml de bouillon de légumes et laissez mijoter 10 à 15 minutes, jusqu'à épaississement. Pendant ce temps, préparez les naans grillés comme ci-dessus. Servez avec le dhal.

30 MINUTES

Lentilles du Puy et pain à l'ail

Pour 4 personnes

4 c. à s. d'huile d'olive
1 poivron rouge coupé en morceaux
1 poivron vert coupé en morceaux
1 oignon rouge haché
1 gousse d'ail émincée
1 bulbe de fenouil paré et émincé
250 g de lentilles vertes du Puy rincées
600 ml de bouillon de légumes
300 ml de vin rouge

Pour le pain à l'ail

50 g de beurre mou
1 gousse d'ail écrasée
2 c. à s. de thym ciselé
1 baguette à la farine complète
sel et poivre

- Faites chauffer l'huile d'olive dans une cocotte et faites revenir les poivrons, l'oignon, l'ail et le fenouil 5 minutes à feu assez vif, en remuant. Ajoutez les lentilles, le bouillon et le vin, portez à ébullition, puis réduisez le feu et laissez mijoter 25 minutes, jusqu'à ce que les lentilles soient tendres.

- Pendant ce temps, battez le beurre ramolli, l'ail et le thym dans un bol, puis salez et poivrez légèrement. Coupez la baguette en tranches épaisses, sans aller jusqu'au bout et en laissant un côté attaché. Tartinez chaque tranche d'une généreuse couche de beurre, enveloppez la baguette dans du papier d'aluminium et faites cuire 15 minutes au four préchauffé à 200 °C.

- Servez les lentilles bien chaudes dans des assiettes creuses, avec des tranches de pain aromatique à l'ail pour saucer.

10 MINUTES

Soupe de lentilles à la tomate
Faites chauffer 1 c. à s. d'huile d'olive dans une cocotte et, à feu moyen, faites blondir 1 oignon finement haché 5 minutes, en remuant. Ajoutez 1 gousse d'ail écrasée, ainsi que 400 g de tomates concassées et 400 g de lentilles vertes du Puy en conserve. Portez à ébullition, puis laissez mijoter 4 minutes. Salez et poivrez. Répartissez dans 4 bols chauds et garnissez chaque bol de 1 c. à s. de crème fraîche et de basilic ciselé. Servez avec du pain chaud.

20 MINUTES

Salade de lentilles aux tomates séchées Mettez 200 g de lentilles du Puy dans une casserole, couvrez largement d'eau froide et portez à ébullition. Réduisez le feu et laissez mijoter 15 minutes, jusqu'à ce que les lentilles soient cuites. Égouttez, ajoutez le jus de 1 citron, 1 gousse d'ail écrasée et 4 c. à s. d'huile d'olive, salez et poivrez. Incorporez 280 g de tomates séchées en conserve égouttées, 1 petit oignon rouge finement haché et 1 poignée de persil plat ciselé. Servez avec de la roquette.

Desserts

Recettes par temps de préparation

30 MINUTES

20 MINUTES

1[] MINUTES

Brioche, abricots au gingembre et mascarpone

Pour 4 personnes

25 g de beurre

375 g d'abricots dénoyautés
   et coupés en quatre

50 g de sucre roux

6 c. à s. de sirop de gingembre

2 morceaux de gingembre frais
   finement hachés

250 g de mascarpone

2 c. à s. de sucre demerara
   ou de sucre roux

tranches de brioche grillées

· Faites fondre le beurre dans une poêle à fond épais et faites revenir les abricots 3 à 4 minutes à feu moyen, en remuant de temps en temps. Saupoudrez de sucre roux et laissez cuire 1 minute de plus, en remuant. Ajoutez le sirop de gingembre, mélangez bien, poursuivez la cuisson 1 minute et retirez du feu.

· Mélangez le gingembre haché, le mascarpone et le sucre.

· Servez les abricots sur des tranches de brioche chaudes. Déposez dessus 1 cuillerée de crème au gingembre et laissez-la fondre un peu.

10 MINUTES

Abricots au gingembre minute et amarettis Faites fondre 25 g de beurre dans une casserole et, à feu vif, faites dorer 400 g d'oreillons d'abricot en conserve, avec 3,5 cm de gingembre frais râpé, pendant 2 à 3 minutes, en remuant. Saupoudrez de 50 g de sucre roux puis laissez cuire 2 à 3 minutes. Versez 2 c. à s. de jus d'orange et laissez cuire 1 minute, puis transférez le tout dans un plat de service chaud et décorez de 8 amarettis légèrement écrasés. Servez avec du yaourt à la grecque.

30 MINUTES

Pêches et nectarines au gingembre Faites chauffer 100 g de sucre en poudre, 3,5 cm de gingembre frais, pelé et râpé, et 400 ml de jus de grenade dans une casserole à fond épais pendant 2 minutes, jusqu'à dissolution du sucre. Portez à ébullition puis laissez réduire 10 minutes. Dénoyautez 4 nectarines et 4 pêches. Coupez chaque pêche en quatre et chaque nectarine en 8 quartiers. Ajoutez-les au sirop bien chaud et laissez refroidir quelques instants, puis ajoutez 175 g de framboises fraîches. Décorez de 1 pincée de gingembre haché et servez avec du yaourt à la grecque.

Millefeuilles chocolat-framboise

Pour 4 personnes

200 g de chocolat noir de
   dégustation coupé en morceaux
300 ml de crème fraîche épaisse
250 g de framboises fraîches
cacao en poudre
4 brins de menthe (facultatif)

- Mettez le chocolat dans un saladier résistant à la chaleur, posé sur une casserole d'eau frémissante. Remuez jusqu'à ce qu'il ait fondu, puis retirez du feu. Chemisez 2 plaques de cuisson de papier sulfurisé puis, avec une cuillère, déposez du chocolat dessus pour former 12 médaillons de 10 cm de diamètre. Laissez durcir 15 minutes au réfrigérateur ou au congélateur.

- Pendant ce temps, fouettez la crème dans un saladier. Écrasez légèrement les framboises avec une fourchette, puis incorporez-les à la crème.

- Décollez précautionneusement le chocolat du papier. Déposez 1 médaillon sur 4 soucoupes froides, garnissez de la moitié de la crème à la framboise, puis couvrez le tout d'un autre médaillon. Répétez l'opération avec le reste de la crème et du chocolat. Décorez de cacao et de 1 brin de menthe, si vous le souhaitez.

10 MINUTES

Irrésistible sundae à la framboise Mettez 200 g de chocolat blanc en morceaux dans un saladier résistant à la chaleur, posé sur une casserole d'eau frémissante. Remuez jusqu'à ce qu'il ait fondu, puis retirez du feu. Pendant ce temps, déposez 1 boule de glace à la vanille, 1 boule de glace à la framboise, puis 1 autre boule de glace à la vanille dans 4 verrines. Décorez de framboises fraîches et de chocolat blanc fondu. Servez aussitôt.

20 MINUTES

Crème à la framboise Mettez 250 g de framboises fraîches dans une poêle et écrasez-les légèrement avec une fourchette. Ajoutez 150 g de sucre en poudre et 2 c. à c. de jus de citron. Faites chauffer à feu moyen, en remuant, jusqu'à dissolution du sucre. Poursuivez la cuisson 3 minutes, puis laissez refroidir. Fouettez 300 ml de crème fraîche épaisse dans un saladier. Incorporez la préparation à base de framboises et 125 g de framboises fraîches entières. Servez dans des verrines.

Cheesecakes aux fruits rouges

Pour 4 personnes

8 biscuits au gingembre
25 g de beurre fondu
400 g de cream cheese
75 g de sucre en poudre
le zeste râpé et le jus
   de 1 citron vert
3 c. à s. de crème fleurette
75 g de framboises fraîches
75 g de myrtilles fraîches
2 c. à s. de sirop de grenadine

- Mettez les biscuits dans un sac en plastique alimentaire et écrasez-les avec un rouleau à pâtisserie pour les émietter finement, puis mélangez-les dans un bol avec le beurre fondu. Tapissez 4 ramequins de cette préparation, en tassant bien, et mettez-les au réfrigérateur pendant la préparation de la garniture.

- Battez le fromage frais, le sucre, le zeste et le jus de citron vert dans un saladier jusqu'à obtention d'un mélange lisse. Incorporez la crème, puis garnissez les ramequins de cette préparation et mettez-les pour 5 à 10 minutes au réfrigérateur, pendant que vous préparez les fruits rouges.

- Mélangez les fruits rouges et la grenadine dans un bol.

- Servez les cheesecakes garnis de sauce aux fruits rouges.

10 MINUTES

Tartelettes aux fruits rouges

Battez 4 c. à s. de lemon curd avec 400 g de cream cheese. Prenez 200 ml de coulis de fruits rouges et déposez-en 1 c. à .c. sur 8 fonds de tartelettes du commerce. Garnissez de 1 cuillerée de préparation au fromage frais, puis de 200 g d'un mélange de fruits rouges. Décorez de sucre glace.

30 MINUTES

Cheesecake à la liqueur de framboise Mettez 150 g de petits-beurre dans un sac en plastique alimentaire et émiettez-les finement avec un rouleau à pâtisserie. Dans un bol, mélangez les miettes avec 25 g d'amandes effilées grillées et 75 g de beurre fondu. Tassez le tout au fond d'un moule à fond amovible de 20 cm de diamètre et placez au réfrigérateur. Battez 400 g de cream cheese, 75 g de sucre en poudre, le zeste et le jus de 1 citron. Incorporez 150 ml de crème fraîche épaisse, puis étalez cette crème sur la base biscuitée et remettez au réfrigérateur. Dans une casserole, faites chauffer 300 g de framboises avec 2 c. à s. de sucre glace, puis écrasez-les avec une fourchette. Ajoutez 2 à 3 c. à s. de liqueur de framboise et mélangez. Nappez le cheesecake de cette sauce.

MINUTES

Crumble poire-chocolat

Pour 4 personnes

1,2 kg de poires en conserve,
  égouttées

5 c. à s. de sucre muscovado

250 g de farine ordinaire

100 g de beurre à température
  ambiante coupé en dés

100 g de sucre demerara
  ou de sucre roux

100 g de chocolat au lait
  grossièrement concassé

1 c. à s. de préparation en poudre
  pour crème anglaise

2 c. à s. de cacao en poudre

1 c. à s. de sucre en poudre

300 ml de lait

- Coupez les poires en morceaux. Dans un saladier, mélangez-les avec le sucre muscovado. Mettez le tout dans un grand plat allant au four.

- Mixez la farine et le beurre au robot jusqu'à obtention d'une pâte sableuse. Mettez-la dans un saladier, incorporez le sucre demerara ou le sucre roux et le chocolat.

- Répartissez cette pâte sur les poires et faites cuire 10 à 12 minutes au four préchauffé à 220 °C.

- Mettez la préparation pour crème anglaise, le cacao et le sucre en poudre dans un bol résistant à la chaleur, ajoutez environ 1 cuillerée à soupe de lait et mélangez bien. Faites chauffer le reste du lait dans une casserole jusqu'à ce qu'il frémisse et versez-le sur cette préparation, sans cesser de remuer. Mettez la crème dans la casserole et faites bouillir à feu doux, en remuant, jusqu'à épaississement.

- Servez le crumble chaud, avec la crème anglaise au chocolat.

10 MINUTES

Poires chaudes et sauce au chocolat Égouttez 1,2 kg de poires en conserve et coupez-les en deux. Faites fondre 25 g de beurre dans une casserole et faites cuire les poires 2 minutes à feu vif, en remuant bien. Incorporez 1 c. à s. de sucre roux et laissez cuire 1 minute de plus. Ajoutez 75 g de chocolat noir en morceaux et 2 c. à s. de crème fraîche épaisse. Poursuivez la cuisson à feu réduit, en remuant, jusqu'à obtention d'une sauce onctueuse. Servez chaud.

30 MINUTES

Cookies poire-chocolat Dans un robot, mixez 250 g de farine ordinaire et 100 g de beurre à température ambiante coupé en dés jusqu'à obtention d'une pâte sableuse. Ajoutez 1 œuf, mixez quelques instants, puis ajoutez 100 g de chocolat au lait en morceaux et 1 petite poire pelée, épépinée et coupée en morceaux, et mixez de nouveau quelques instants. Façonnez 15 boulettes, déposez-les sur une plaque de cuisson légèrement beurrée et aplatissez-les un peu avec une fourchette. Faites-les cuire 12 minutes au four préchauffé à 220 °C. Servez les cookies tièdes.

10 MINUTES

Riz au lait caramélisé aux framboises

Pour 4 personnes

75 g de framboises fraîches
1 c. à s. de sucre en poudre
1 c. à s. d'eau
425 g de riz au lait
4 c. à s. de crème fraîche épaisse
125 g de sucre muscovado

- Mélangez les framboises, le sucre en poudre et l'eau dans une casserole, et faites chauffer 2 minutes à feu doux, jusqu'à ce que les framboises ramollissent. Répartissez la préparation dans 4 ramequins.

- Faites chauffer le riz au lait avec la crème fraîche 2 minutes dans une casserole. Répartissez cette préparation sur les framboises, ajoutez une couche de sucre muscovado et aplatissez bien.

- Déposez les ramequins sur une plaque de cuisson et laissez-les caraméliser 1 à 2 minutes sous le gril préchauffé. Servez chaud.

20 MINUTES

Crème brûlée aux framboises
Mélangez 75 g de framboises fraîches, 1 c. à s. de sucre en poudre et 1 c. à s. d'eau dans une casserole, et faites chauffer 2 minutes à feu doux, jusqu'à ce que les framboises ramollissent légèrement. Répartissez la préparation dans 4 ramequins. Portez 300 ml de lait à ébullition. Pendant ce temps, battez 2 jaunes d'œufs, 4 c. à s. de sucre en poudre, 4 c. à s. de crème fraîche épaisse et 1 c. à s. de fécule de maïs dans un saladier résistant à la chaleur. Versez le lait chaud dans le saladier, en remuant constamment, puis remettez le tout dans la casserole rincée et laissez cuire la crème à feu doux, sans cesser de remuer, jusqu'à épaississement. Répartissez la crème dans les ramequins, sur les framboises. Saupoudrez de 125 g de sucre muscovado et caramélisez avec un chalumeau de cuisine. Servez chaud.

30 MINUTES

Riz au lait à la vanille et aux framboises Dans une casserole, mélangez 250 g de riz arborio, 600 ml de lait, 300 ml de crème fraîche épaisse et 1 gousse de vanille coupée en deux dans le sens de la longueur. Portez à ébullition et ajoutez 125 g de sucre roux. Réduisez le feu, couvrez et laissez mijoter 20 à 25 minutes. Pendant ce temps, mélangez 175 g de framboises, 50 g de sucre en poudre et 1 c. à s. d'eau dans une casserole. Faites chauffer 2 à 3 minutes à feu doux, en remuant de temps en temps, jusqu'à dissolution du sucre. Retirez la vanille et servez le riz au lait dans des bols chauds, garni de framboises.

 **MINUTES**

Crème de chocolat blanc aux framboises

Pour 4 personnes

150 g de chocolat blanc
    en morceaux + quelques
    copeaux pour décorer
300 ml de crème fraîche épaisse
200 ml de crème fraîche
125 g de framboises fraîches
    légèrement écrasées
copeaux de chocolat noir
    pour décorer

· Mélangez le chocolat blanc et 8 cuillerées à soupe de crème épaisse dans une casserole, puis faites chauffer à feu doux en remuant constamment, jusqu'à obtention d'une crème onctueuse. Retirez du feu.

· Fouettez le reste de la crème épaisse dans un saladier en plastique jusqu'à ce que des pics se forment. Incorporez la crème fraîche puis la crème au chocolat. Incorporez ensuite les framboises. Mettez le saladier pour 5 minutes au congélateur.

· Servez la crème dans 4 coupes à dessert et décorez de copeaux de chocolat.

10 MINUTES

Crème aux morceaux de chocolat blanc et aux framboises Fouettez 300 ml de crème fraîche épaisse. Concassez 160 g de chocolat blanc et parsemez les morceaux sur la crème fouettée. Écrasez légèrement 100 g de framboises avec une fourchette, ajoutez-les à la crème et mélangez bien le tout. Servez dans 4 coupes.

30 MINUTES

Crème au rhum et aux fraises Dans un robot, mixez 400 g de fraises équeutées (réservez-en quelques-unes) et 50 g de sucre en poudre, jusqu'à obtention d'une purée, puis placez au réfrigérateur. Fouettez 150 ml de crème fraîche épaisse dans un saladier jusqu'à ce qu'elle épaississe légèrement, incorporez 25 g de sucre en

poudre, 1 c. à s. de rhum brun et ½ c. à c. d'extrait de vanille. Garnissez 4 coupes de crème et de purée de fraises en alternant, en finissant par la crème. Placez au réfrigérateur jusqu'au moment de servir. Décorez avec les fraises réservées et servez avec des sablés.

 **MINUTES** # Prunes chaudes épicées

Pour 4 personnes

750 g de prunes bien mûres
   coupées en deux
   et dénoyautées
100 g de sucre en poudre
½ c. à c. de cannelle moulue
½ c. à c. de gingembre moulu
3 c. à s. d'eau
crème glacée pour servir

- Mélangez tous les ingrédients sauf la crème glacée dans une grande casserole à fond épais et portez à ébullition, en remuant de temps en temps. À feu doux, couvrez et laissez mijoter très doucement 15 à 20 minutes, en remuant de temps en temps, jusqu'à ce que les prunes soient fondantes.

- Mettez le tout dans un plat de service et laissez refroidir 5 minutes avant de servir.

- Servez avec de la crème glacée.

10 MINUTES

Fruits caramélisés Coupez en deux et dénoyautez un mélange de 750 g de prunes, de pêches et d'abricots bien mûrs. Faites chauffer une poêle à feu moyen. Plongez les oreillons de fruits dans une assiette de sucre, côté coupé vers le bas, puis faites-les dorer 3 à 5 minutes dans la poêle, côté sucré vers le bas. Laissez refroidir quelques instants. Servez avec du yaourt à la grecque arrosé de miel liquide.

20 MINUTES

Salade de fruits au mascarpone Dénoyautez 2 prunes et 2 abricots, et coupez-les en tranches. Pelez 1 kiwi et coupez-le en tranches. Dénoyautez et tranchez 250 g de cerises. Mélangez tous les fruits dans un saladier. Dans un autre saladier, mélangez 250 g de mascarpone, 2 c. à s. de miel liquide, ½ c. à c. d'extrait de vanille et les graines de 1 gousse de vanille. Servez la salade de fruits dans des coupes, avec un peu de crème au mascarpone sur le côté.

30 MINUTES

Abricots à la crème de citron et amarettis

Pour 4 personnes

500 g d'abricots coupés
en deux et dénoyautés

4 c. à s. de sucre roux

1 gousse de vanille fendue
en deux dans la longueur

5 c. à s. d'eau

1 c. à c. de zeste de citron râpé

200 ml de crème fraîche

Pour les amarettis

1 blanc d'œuf

75 g de poudre d'amande

50 g de sucre en poudre

· Mélangez les abricots, le sucre roux, la gousse de vanille et l'eau dans une casserole à fond épais, et portez à ébullition. Réduisez le feu, couvrez et laissez mijoter 15 minutes, jusqu'à ce que les abricots soient tendres (ils ne doivent pas s'affaisser).

· Pendant ce temps, montez le blanc d'œuf en neige dans un saladier, puis incorporez la poudre d'amande et le sucre. Chemisez une plaque de cuisson de papier sulfurisé et déposez des cuillerées à soupe de cette préparation sur le papier, en les espaçant bien.

· Faites cuire les amarettis 10 minutes au four préchauffé à 190 °C, jusqu'à ce qu'ils commencent à dorer. Laissez-les refroidir 5 minutes, puis décollez-les du papier et déposez-les sur une grille.

· Mélangez le zeste de citron et la crème fraîche. Retirez la gousse de vanille et servez les abricots dans des coupes, avec de la crème au citron et des amarettis.

10 MINUTES

Pavlovas aux abricots Prenez 4 nids de meringue du commerce et déposez 2 c. à s. de crème fraîche épaisse dans chaque meringue. Égouttez 400 g d'abricots en conserve, émincez-les et disposez-les sur la crème. Garnissez chaque pavlova de 1 brin de menthe.

20 MINUTES

Brioches à la confiture d'abricots et à la crème anglaise Coupez 4 petites brioches individuelles en dés et rangez-les dans un plat beurré allant au four. Répartissez 6 c. à s. de confiture d'abricots sur les brioches et arrosez le tout de 450 ml de crème anglaise toute prête. Faites cuire 10 à 15 minutes au four préchauffé à 180 °C. Servez aussitôt.

Pain perdu à la crème et aux fruits rouges

Pour 4 personnes

2 œufs
4 c. à s. de lait
25 g de sucre en poudre
½ c. à c. de cannelle moulue
25 g de beurre
4 tranches épaisses de pain
   aux fruits secs
125 g d'un mélange
   de fruits rouges
8 c. à s. de crème fraîche
sucre glace
sirop d'érable

- Battez les œufs, le lait, le sucre en poudre et la cannelle dans un saladier. Faites fondre le beurre dans une grande poêle à fond épais. Plongez les tranches de pain 2 par 2 dans la préparation à l'œuf, en les laissant bien s'imbiber des 2 côtés, sortez-les puis faites-les griller à feu moyen 1 à 2 minutes de chaque côté, jusqu'à ce que l'œuf ait pris. Retirez-les et empilez-les pour qu'elles restent bien chaudes.

- Pendant ce temps, mélangez la moitié des fruits rouges et la crème fraîche.

- Avec une cuillère, garnissez les toasts de crème aux fruits rouges, puis décorez du reste des fruits et de sucre glace. Arrosez de sirop d'érable et servez.

20 MINUTES

Pain perdu au chocolat et aux framboises Battez 2 œufs, 4 c. à s. de lait chocolaté, 25 g de sucre en poudre et ½ à c. de cannelle moulue dans un saladier. Faites fondre 25 g de beurre dans une grande poêle à fond épais. Plongez 4 tranches épaisses de brioche 2 par 2 dans la préparation à l'œuf, en les laissant bien s'imbiber des 2 côtés, puis sortez-les et faites-les dorer à feu moyen 1 à 2 minutes de chaque côté, jusqu'à ce que l'œuf ait pris. Retirez-les et empilez-les pour qu'elles restent bien chaudes. Dans une casserole, faites chauffer 125 g de chocolat noir de dégustation concassé, 6 c. à s. de crème fraîche épaisse et 15 g de beurre, à feu doux, en remuant, jusqu'à obtention d'une sauce onctueuse. Servez les toasts garnis de crème fraîche épaisse, de 75 g de framboises fraîches et de 50 g de chocolat noir concassé, puis arrosez-les de sauce au chocolat chaude.

30 MINUTES

Pudding aux fruits rouges Beurrez 8 tranches de brioche aux fruits confits, rangez-les au fond d'un plat à gratin, puis recouvrez-les de 125 g de cocktail de fruits rouges, frais ou décongelé. Battez 3 œufs, 450 ml de lait, 50 g de sucre en poudre et ½ c. à c. de cannelle moulue dans un saladier, puis versez la préparation sur la brioche et les fruits rouges. Faites cuire 20 minutes au four préchauffé à 200 °C. Saupoudrez de 2 c. à s. de sucre roux et servez.

30 MINUTES

Soufflés au chocolat et glace à la pistache

Pour 6 personnes

200 g de chocolat noir
   de dégustation coupé
   en morceaux
200 g de beurre doux
   coupé en dés
3 œufs
75 g de sucre en poudre
sucre glace
glace à la pistache ou à la vanille

- Mettez le chocolat et le beurre dans un saladier résistant à la chaleur, posé sur une casserole d'eau frémissante. Mélangez jusqu'à obtention d'une sauce onctueuse, puis retirez du feu.

- Fouettez les œufs et le sucre dans un saladier jusqu'à épaississement, puis incorporez délicatement la sauce au chocolat.

- Répartissez l'appareil dans 6 ramequins et déposez-les sur une plaque de cuisson. Faites cuire les soufflés 7 minutes au four préchauffé à 150 °C, jusqu'à ce qu'ils soient à peine fermes.

- Laissez-les refroidir 10 minutes, puis saupoudrez-les de sucre glace et servez avec 1 boule de glace à la pistache ou à la vanille.

10 MINUTES

Glace à la vanille et liqueur de chocolat au café Déposez des petites boules de glace à la vanille dans le fond de 6 petites coupes à dessert. Versez un peu de liqueur de chocolat réfrigérée puis un peu d'espresso encore chaud. Servez immédiatement.

20 MINUTES

Coupe glacée à la banane et sauce au chocolat Dans une casserole, faites chauffer 50 g de beurre, 50 g de cacao, 50 g de sucre roux, 50 g de sucre raffiné en poudre, 200 ml de lait et ½ c. à c. d'extrait de vanille, à feu moyen, en remuant, jusqu'à obtention d'une sauce lisse. Portez à ébullition, puis laissez mijoter jusqu'à épaississement. Tranchez 1 banane dans 6 coupes à dessert, ajoutez des boules de glace à la vanille et arrosez de sauce au chocolat.

Coupes banoffee

Pour 4 personnes

6 petits-beurre
2 grosses bananes
50 g de beurre
50 g de sucre brun
150 ml de crème fraîche épaisse
200 ml de crème fraîche
chocolat noir râpé

- Mettez les petits-beurre dans un sac en plastique alimentaire et écrasez-les avec un rouleau à pâtisserie pour les émietter finement. Tassez les miettes dans le fond de 4 grands verres.

- Écrasez 1 banane et, avec une cuillère, répartissez cette purée dans les verres, sur les miettes de petit-beurre.

- Faites fondre le beurre dans une petite casserole, ajoutez le sucre et faites chauffer à feu moyen, en remuant bien, jusqu'à dissolution du sucre. Ajoutez la crème fraîche épaisse et faites cuire doucement 1 à 2 minutes, jusqu'à épaississement. Retirez du feu et laissez refroidir 1 minute, puis utilisez une cuillère pour répartir ce caramel dans les verres.

- Détaillez l'autre banane en rondelles et ajoutez-les dans les verres, sur le caramel, puis ajoutez la crème fraîche. Décorez de chocolat noir râpé et servez.

10 MINUTES

Coupes banoffee aux dattes
Fouettez 300 ml de crème fraîche épaisse dans un saladier. Incorporez 4 meringues moyennes émiettées, 4 bananes coupées en rondelles et 1 poignée de dattes dénoyautées. Arrosez de 4 c. à s. de sauce au caramel. Servez dans 4 coupes à dessert, puis parsemez le tout de 1 poignée de noix de pécan et arrosez d'un peu de sauce au caramel.

30 MINUTES

Banoffee pie Chemisez un moule à tarte de 20 cm de diamètre avec du film alimentaire. Dans un robot, mixez 175 g de dattes dénoyautées et 225 g d'amandes émondées. Tassez bien ce mélange sur le fond du moule et mettez pour 10 minutes au congélateur. Mettez 300 g de yaourt à la grecque dans un grand plat, saupoudrez de 2 c. à s. de sucre muscovado, puis mettez-le pour 5 minutes au réfrigérateur. Transférez le fond de tarte sur une assiette de service et retirez le film alimentaire. Garnissez-le de 2 bananes coupées en rondelles. Mélangez légèrement le sucre avec le yaourt et, à la cuillère, déposez ce mélange sur les bananes en préservant les volutes de sucre. Décorez de chocolat noir râpé, puis servez.

30 MINUTES

Crumbles à l'avoine et aux fruits du verger

Pour 4 personnes

4 pommes à cuire pelées,
  épépinées et coupées en dés
2 c. à s. de sucre roux
2 c. à s. de sucre raffiné en poudre
3 c. à s. d'eau
175 g de mûres
100 g de farine ordinaire
75 g de beurre doux coupé en dés
100 g de flocons d'avoine
100 g de sucre demerara
  ou de sucre roux
½ c. à c. de cannelle moulue
crème glacée ou crème fraîche
  pour servir

- Mélangez les pommes, le sucre roux, le sucre raffiné et l'eau dans une casserole à fond épais, et faites cuire le tout 5 à 8 minutes à feu doux, en remuant de temps en temps, jusqu'à ce que les pommes ramollissent. Incorporez les mûres, couvrez, retirez du feu et gardez au chaud.

- Mettez la farine dans un saladier, ajoutez le beurre et travaillez du bout des doigts jusqu'à obtention de sable. Incorporez les flocons d'avoine, le sucre demerara ou le sucre roux et la cannelle. Disposez la pâte sur le fond d'un grand plat et faites-la cuire 10 à 15 minutes au four préchauffé à 200 °C, en la remuant 1 fois au milieu de la cuisson.

- Dressez les fruits chauds dans des bols de service chauds, puis ajoutez la pâte à crumble. Servez avec de la glace ou de la crème épaisse.

10 MINUTES

Yaourt à la compote de poires

Égouttez 400 g de poires en conserve et coupez-les en dés. Mettez-les dans une casserole, avec 3 c. à s. de sucre roux, et faites cuire 3 à 4 minutes à feu moyen, en remuant de temps en temps. Répartissez 300 g de yaourt à la grecque dans 4 bols. Incorporez la compote chaude et servez avec des sablés.

20 MINUTES

Crumbles aux fruits rouges

Répartissez 200 g de fruits rouges surgelés dans 4 ramequins. Saupoudrez de 2 c. à c. de sucre vanillé et de 1 c. à c. de fécule de maïs, et mélangez un peu. Couvrez avec 1 à 2 c. à s. de préparation pour crumble du commerce. Déposez les ramequins sur une plaque de cuisson et faites-les cuire 15 minutes au four préchauffé à 220 °C. Servez avec de la glace à la vanille.

20 MINUTES

Ananas chaud rhum-raisins

Pour 4 personnes

½ ananas pelé et coupé
en fines tranches

25 g de beurre doux

2 c. à s. de sucre brun

4 c. à s. de rhum brun

4 c. à s. de raisins secs

crème glacée pour servir

• Coupez les tranches d'ananas en deux. Faites fondre le beurre dans une grande poêle à fond épais et faites cuire les tranches d'ananas à feu vif, 2 à 3 minutes de chaque côté, jusqu'à ce qu'elles soient ramollies et dorées. Parsemez de sucre, mélangez et poursuivez la cuisson 1 minute, puis ajoutez le rhum et les raisins secs. Prolongez la cuisson de 2 minutes en remuant, jusqu'à ce que la préparation soit bien chaude.

• Dressez dans 4 bols de service et ajoutez 1 grosse boule de glace à la vanille dans chaque bol.

10 MINUTES

Poêlée ananas, mangue, fruits de la passion Faites fondre 25 g de beurre dans une grande poêle et faites revenir 130 g d'ananas, 130 g de mangue et 130 g de fruits de la passion frais en morceaux 3 à 4 minutes, à feu vif, en remuant. Saupoudrez de 2 c. à s. de sucre roux et de 1 c. à c. d'épices pour pain d'épices. Poursuivez la cuisson 2 minutes, en remuant. Servez avec de la crème fleurette.

30 MINUTES

Ananas flambé Pelez et tranchez 1 ananas, puis retirez le cœur. Faites fondre 50 g de beurre dans une grande poêle et faites revenir les tranches d'ananas en plusieurs fois, sur une seule couche, 1 minute 30 de chaque côté, puis mettez-les dans un saladier. Ajoutez les graines de 1 gousse de vanille, 50 g de sucre muscovado et le jus de 1 orange, puis laissez cuire jusqu'à dissolution du sucre, en remuant. Remettez l'ananas et son jus dans la poêle, et laissez cuire jusqu'à ce qu'il soit bien chaud. Versez 3 c. à s. de rhum brun et faites flamber. Retirez du feu, attendez que la flamme s'éteigne et servez avec de la crème fleurette.

Tartelettes rhubarbe-gingembre

Pour 4 personnes

1 pâte sablée sucrée de 200 g,
  fraîche ou décongelée
un peu de farine ordinaire
  pour le plan de travail
500 g de rhubarbe parée
  et coupée en dés
50 g de sucre en poudre
3 morceaux de gingembre frais
  hachés
1 pincée de gingembre moulu
2 c. à s. de sirop de gingembre
15 g de beurre doux
crème glacée ou crème fraîche
  pour servir

· Déroulez la pâte sur un plan de travail fariné et foncez
  4 moules à tartelettes de 10 cm de diamètre. Piquez la pâte
  avec une fourchette.

· Recouvrez les fonds de tartelettes de papier de cuisson
  et remplissez-les de haricots secs. Faites cuire 15 minutes
  au four préchauffé à 200 °C, puis ôtez le papier et les haricots
  et poursuivez la cuisson 2 à 3 minutes.

· Pendant ce temps, mélangez la rhubarbe et les autres ingrédients
  (sauf la glace ou la crème fraîche) dans une casserole et faites
  cuire 5 minutes à feu moyen, en remuant de temps en temps.
  Réduisez le feu et laissez mijoter 10 minutes, en remuant
  de temps en temps, jusqu'à ce que la rhubarbe soit ramollie.

· Retirez les fonds de tartelettes des moules, dressez-les
  sur des assiettes à dessert et garnissez-les de préparation
  à la rhubarbe. Servez chaud, avec de la glace ou de la crème
  fraîche.

10 MINUTES

Compote de rhubarbe au gingembre Coupez 500 g de rhubarbe parée en tranches de 5 mm d'épaisseur. Mélangez-les dans une casserole avec 150 g de sucre en poudre, 3 morceaux de gingembre hachés et 2 c. à c. d'extrait de vanille, puis portez à ébullition, en remuant, jusqu'à dissolution du sucre. Couvrez partiellement et laissez mijoter 3 minutes, découvrez, puis poursuivez la cuisson 2 minutes. Laissez refroidir un peu. Servez avec de la glace à la vanille.

20 MINUTES

Trifles rhubarbe-gingembre Dans une casserole, mélangez 6 bâtons de rhubarbe parés et coupés en morceaux, 100 ml d'eau et 150 g de sucre en poudre, et faites cuire le tout 5 minutes à feu moyen, en remuant. Filtrez, réservez le sirop et laissez refroidir 5 minutes. Ajoutez 2 c. à s. de Grand Marnier au sirop de rhubarbe. Dans un saladier, fouettez 250 g de mascarpone, 125 g de yaourt à la grecque et 50 g de sucre glace jusqu'à épaississement. Détaillez ½ quatre-quarts du commerce en 8 tranches. Déposez 1 tranche au fond de 4 larges verrines et imbibez le quatre-quarts de sirop de rhubarbe. Ajoutez 1 cuillerée de rhubarbe dans chaque verrine, recouvrez d'une autre tranche de gâteau, arrosez d'un peu de sirop de rhubarbe, puis ajoutez le reste de la rhubarbe. Répartissez la préparation au mascarpone dans les verrines, puis parsemez d'amandes effilées grillées et de gingembre haché.

30 MINUTES

Riz coco à la mangue et au citron vert

Pour 4 personnes

125 g de riz arborio pour risotto

75 g de sucre en poudre

300 ml de lait

400 ml de lait de coco
en conserve

½ mangue pelée, dénoyautée
et coupée en dés

le zeste râpé et le jus
de 1 citron vert

- Dans une casserole à fond épais, mélangez le riz, le sucre, le lait et le lait de coco. Portez à ébullition, puis réduisez le feu et laissez mijoter 20 minutes, jusqu'à ce que le riz ait gonflé.

- Pendant ce temps, mélangez la mangue, le zeste et le jus de citron dans un grand bol.

- Dressez le riz coco dans des coupes à dessert et déposez un peu de préparation à la mangue au sommet.

10 MINUTES

Riz au lait mangue-coco

Dans une casserole, faites chauffer 800 g de riz au lait du commerce, ½ mangue pelée, dénoyautée et coupée en dés, et 3 c. à s. de noix de coco râpée séchée et grillée. Servez le riz au lait dans des ramequins, parsemé d'un peu de noix de coco séchée supplémentaire.

20 MINUTES

Riz coco à la banane caramélisée Dans une casserole à fond épais, mélangez 125 g de riz arborio pour risotto, 75 g de sucre en poudre, 300 ml de lait et 400 ml de lait de coco. Portez à ébullition, réduisez le feu et laissez mijoter 20 minutes. Coupez 4 bananes bien fermes en deux dans la longueur, puis saupoudrez-les de 4 c. à s. de sucre roux et de 1 c. à c. de cannelle moulue. Faites chauffer une poêle antiadhésive à feu vif et faites dorer les bananes 2 minutes de chaque côté, jusqu'à ce que le sucre se caramélise. Servez le riz coco sur des assiettes à dessert, accompagné de bananes caramélisées.

10 MINUTES

Quatre-quarts grillé à la compote de fruits

Pour 4 personnes

25 g de beurre doux
2 prunes dénoyautées
   et coupées en petits quartiers
175 g de fraises équeutées
   et coupées en deux
50 g de sucre en poudre
½ c. à c. de cannelle moulue
2 c. à s. d'eau
125 g de framboises
4 tranches épaisses
   de quatre-quarts
2 c. à s. de sucre glace

- Faites fondre le beurre dans une casserole à fond épais et faites cuire les prunes 2 minutes à feu moyen, en remuant de temps en temps. Ajoutez les fraises, le sucre en poudre, la cannelle et l'eau, et faites cuire 2 minutes de plus, en remuant, jusqu'à ce que les fruits soient ramollis. Incorporez les framboises.

- Faites chauffer une poêle-gril à feu vif. Saupoudrez un côté des tranches de quatre-quarts de la moitié du sucre glace puis faites-les griller 1 minute, côté sucre vers le bas. Saupoudrez l'autre côté avec le reste du sucre et faites-le griller 1 minute.

- Servez les tranches de quatre-quarts garnies de compote chaude.

20 MINUTES

Quatre-quarts à la prune et crème anglaise À feu moyen, faites fondre 25 g de beurre dans une casserole à fond épais et, en remuant de temps en temps, faites cuire 2 prunes dénoyautées et coupées en quartiers pendant 2 minutes. Ajoutez 175 g de fraises équeutées et coupées en deux, 50 g de sucre en poudre, ½ c. à c. de cannelle moulue et 1 c. à s. d'eau, et poursuivez la cuisson 2 minutes, en remuant de temps en temps. Laissez refroidir 5 minutes, puis déposez la compote sur le fond d'un saladier en verre et recouvrez-la de 4 tranches de quatre-quarts coupées en dés. Arrosez le tout avec 2 c. à s. de xérès moelleux puis ajoutez 400 ml de crème anglaise fraîche du commerce. Garnissez de crème fraîche et décorez de fraises coupées en quartiers.

30 MINUTES

Quatre-quarts à la pâte d'amandes Dans une casserole, faites fondre 25 g de beurre à feu moyen, puis faites revenir 6 prunes dénoyautées et coupées en morceaux pendant 2 minutes, en remuant de temps en temps. Ajoutez 50 g de sucre, ½ c. à c. de cannelle moulue et 1 c. à s. d'eau, et faites cuire 2 minutes, en remuant de temps en temps. Versez le tout dans le fond d'un grand plat à gratin. Garnissez de 4 tranches épaisses de quatre-quarts puis de 175 g de pâte d'amandes émiettée. Mettez au four préchauffé à 190 °C, sur la grille supérieure, et faites dorer 15 minutes.

Fondants minute

Pour 4 personnes

100 g de beurre fondu
+ un peu pour les ramequins
100 g de sucre roux
100 g de farine avec levure
incorporée
1 c. à c. d'épices pour pain d'épices
1 œuf battu
4 c. à s. de golden syrup
ou de miel liquide
crème anglaise pour servir

- Beurrez légèrement 4 ramequins de 150 ml et chemisez le fond de papier sulfurisé. Battez le beurre et le sucre dans un saladier jusqu'à obtention d'un mélange clair et mousseux, puis tamisez la farine et les épices, ajoutez l'œuf et battez bien le tout.

- Répartissez la préparation dans les ramequins. Couvrez-les d'un disque de papier sulfurisé, faites-les cuire 2 minutes à 2 minutes 30 au micro-ondes à puissance élevée, puis laissez-les reposer 3 à 4 minutes.

- Démoulez les fondants en les retournant sur des assiettes à dessert et arrosez-les chacun de 1 cuillerée à soupe de golden syrup ou de miel liquide. Servez-les avec de la crème anglaise.

 MINUTES

Quatre-quarts à la sauce sucrée Coupez 1 petit quatre-quarts en dés et rangez-les dans le fond d'un plat allant au micro-ondes. Dans une casserole, mélangez 5 c. à s. de golden syrup ou de miel liquide, 25 g de beurre et 2 c. à s. de sucre roux. Faites chauffer 2 minutes à feu modéré, en remuant. Versez la sauce obtenue sur le quatre-quarts et faites chauffer 1 minute au micro-ondes à puissance élevée. Servez chaud, avec de la glace.

MINUTES

Génoise gourmande Beurrez 1 moule à gâteau de 1 litre et versez-y 6 c. à s. de golden syrup ou de miel liquide. Dans un robot, mixez 100 g de beurre ramolli, 100 g de sucre en poudre, 2 œufs battus et 1 c. à c. d'extrait de vanille. Ajoutez 100 g de farine avec levure incorporée et mixez encore un peu. Versez la préparation dans le moule à gâteau et faites cuire 25 minutes au four préchauffé à 180 °C. Servez avec de la crème anglaise du commerce chaude.

30 MINUTES

Coulant au chocolat et sauce au cacao

Pour 4 personnes

75 g de beurre ramolli

75 g de sucre roux

3 œufs

70 g de farine avec levure incorporée

3 c. à s. de cacao en poudre

½ c. à c. de poudre à lever

sucre glace

crème glacée ou crème fraîche pour servir

Sauce

2 c. à s. de cacao en poudre

50 g de sucre roux

250 ml d'eau bouillante

- Beurrez légèrement un plat à gratin de 600 ml. Mélangez le reste du beurre, le sucre roux et les œufs dans un saladier, puis tamisez la farine, le cacao et la poudre à lever. Battez jusqu'à obtention d'une pâte lisse. Versez-la dans le plat et lissez la surface.

- Pour préparer la sauce, mettez le cacao et le sucre dans un saladier et versez suffisamment d'eau bouillante pour obtenir une pâte lisse, puis ajoutez progressivement le reste de l'eau et mélangez jusqu'à obtention d'une sauce onctueuse.

- Versez la sauce sur la pâte à gâteau et faites cuire 15 minutes au four préchauffé à 200 °C, jusqu'à ce que la sauce ait coulé dans le fond du plat et que le gâteau soit bien levé. Décorez de sucre glace et servez avec de la glace ou de la crème fraîche.

10 MINUTES

Muffins au chocolat et sauce au cacao Faites chauffer 4 muffins au chocolat du commerce pendant 1 minute au micro-ondes. Pendant ce temps, mélangez 1 c. à c. de zeste d'orange râpé et 120 g de crème épaisse. Préparez la sauce au cacao comme ci-dessus. Servez les muffins chauds, arrosés de sauce bien chaude et décorés de 1 cuillerée de crème à l'orange.

20 MINUTES

Pancakes au chocolat et sauce au cacao Avec un robot, mixez 100 g de farine ordinaire, 1 c. à s. de cacao en poudre, 1 œuf et 200 ml de lait jusqu'à obtention d'une pâte lisse. Faites chauffer un peu d'huile végétale dans une poêle antiadhésive et faites cuire les pancakes à feu assez vif, en utilisant 100 ml de pâte à chaque fois. Faites-les cuire 1 à 2 minutes de chaque côté. Gardez-les au chaud. Préparez la sauce au cacao comme ci-dessus. Servez les pancakes arrosés de sauce bien chaude, saupoudrés de sucre glace et accompagnés de crème glacée.

30 MINUTES

Tarte Tatin à la poire

Pour 4 personnes

beurre
800 g de poires en conserve,
  égouttées
5 c. à s. de confiture de lait
375 g de pâte sablée fraîche
  ou décongelée
farine ordinaire
crème glacée ou crème fraîche
  pour servir

- Chemisez un moule à fond amovible de 23 cm de diamètre avec du papier de cuisson, puis beurrez le fond et les bords.

- Mettez les poires et la confiture de lait dans une casserole et faites chauffer 1 à 2 minutes à feu doux, en remuant de temps en temps, jusqu'à ce que les poires soient bien napées de confiture. Rangez-les en une seule couche dans le fond du moule.

- Abaissez la pâte sablée sur un plan de travail fariné pour former un disque un peu plus large que le moule et déposez l'abaisse sur les poires, en insérant les bords à l'intérieur du moule.

- Faites cuire 20 minutes au four préchauffé à 220 °C, jusqu'à ce que la pâte soit dorée. Décollez les bords de la tarte avec un couteau puis retournez-la sur un plat de service. Servez-la coupée en parts, avec de la crème glacée ou de la crème fraîche.

10 MINUTES

Poires caramélisées Faites fondre 25 g de beurre dans une grande poêle. Mettez 800 g de poires en conserve, égouttées et coupées en quartiers, dans un saladier, mélangez-les avec 5 c. à s. de confiture de lait, puis faites-les revenir dans la poêle, jusqu'à ce que la sauce frémisse et que les poires soient ramollies. Servez avec de la glace et de la sauce caramel.

20 MINUTES

Tartelettes poire-caramel Découpez 4 disques de pâte de 10 cm de diamètre dans un rouleau de pâte sablée du commerce et déposez-les sur une plaque de cuisson. Piquez-les avec une fourchette, puis faites-les dorer 10 minutes au four préchauffé à 200 °C. Pendant ce temps, égouttez 400 g de poires en conserve et coupez-les en dés ou en tranches. Faites fondre 25 g de beurre dans une casserole et faites cuire les poires 2 minutes à feu assez vif, en remuant, puis saupoudrez de 3 c. à s. de sucre brun et laissez cuire 1 minute, en remuant. Ajoutez 2 c. à s. de crème fraîche épaisse et mélangez bien. Déposez les disques de pâte sur des soucoupes et garnissez-les de poires au caramel. Servez avec de la glace.

Trifles aux fraises et à la crème

Pour 4 personnes

175 g de fraises équeutées
  et coupées en quatre
  + 2 fraises coupées en deux
4 c. à s. de confiture de fraises
4 c. à s. de crème épaisse
2 scones nature coupés en deux

- Mélangez les fraises et la confiture de fraises dans un saladier. Répartissez la moitié des fraises dans 4 coupes à dessert, ajoutez 1 cuillerée à soupe de crème épaisse puis une moitié de scone.

- Ajoutez le reste des fraises puis décorez chaque trifle de ½ fraise.

Trifle aux fraises et au xérès

Mettez 250 g de fraises équeutées, 125 g de framboises et 4 c. à s. de confiture de fraises ou de framboises dans un saladier. Mélangez bien et versez dans un grand saladier en verre. Coupez 4 scones nature en dés, ajoutez-les dans le saladier et arrosez le tout de 6 c. à s. de xérès sec. Ajoutez 600 ml de crème anglaise du commerce très froide puis 400 ml de crème fraîche. Décorez de moitiés de fraise, si vous le souhaitez.

Gratin de scones aux fruits rouges Dans une casserole, portez à ébullition 500 g de fruits rouges surgelés, 125 g de sucre en poudre et 4 c. à s. de xérès sec ou d'eau. Versez dans un grand plat à gratin. Coupez 4 scones nature en deux et disposez-les sur les fruits, face coupée vers le bas. Saupoudrez de 5 c. à s. de sucre roux mélangé à ½ c. à c. de cannelle moulue. Faites cuire 15 minutes au four préchauffé à 190 °C. Servez avec de la crème anglaise.

Crumbles
aux pommes minute

Pour 4 personnes

25 g de beurre doux

2 grosses pommes à cuire pelées,
  épépinées et coupées en dés

4 c. à s. de sucre brun

4 c. à s. de crème fraîche épaisse

8 c. à s. de muesli croustillant

2 c. à s. d'amandes effilées grillées

crème fraîche épaisse
  supplémentaire pour servir
  (facultatif)

· Faites fondre le beurre dans une poêle à fond épais et faites dorer les pommes 5 à 6 minutes à feu moyen, en remuant de temps en temps.

· Ajoutez le sucre et poursuivez la cuisson 1 minute, en remuant. Versez la crème épaisse et faites cuire 1 minute de plus, en remuant, jusqu'à ce que la sauce se caramélise ; les pommes doivent être tendres, mais elles ne doivent pas s'affaisser.

· Répartissez la préparation aux pommes dans 4 coupes à dessert chaudes. Mélangez le muesli et les amandes, et déposez un peu de ce mélange sur la préparation aux pommes. Décorez de 1 cuillerée de crème épaisse, si vous le souhaitez.

10 MINUTES

Crumbles pommes-framboises

Mélangez 400 g de compote de pommes avec morceaux et 100 g de framboises fraîches, et répartissez le tout dans 4 ramequins. Ajoutez 8 c. à s. de muesli croustillant mélangé à 2 c. à s. de poudre d'amande, puis un peu de beurre en petit dés, et faites griller 2 minutes sous le gril du four préchauffé à puissance moyenne. Servez avec de la glace à la vanille.

30 MINUTES

Crumble aux fruits rouges

Mettez 500 g de fruits rouges surgelés dans un plat à gratin et saupoudrez de 4 c. à s. de sucre en poudre. Faites fondre 100 g de beurre avec 100 g de golden syrup ou de miel liquide dans une casserole, puis incorporez 150 g de flocons d'avoine et 20 g de poudre d'amande. Étalez la préparation sur les fruits et faites cuire le crumble 25 minutes au four préchauffé à 180 °C. Servez avec de la glace à la vanille.

30 MINUTES

Petites crèmes au citron meringuées

Pour 4 personnes

le zeste râpé et le jus de 2 citrons
150 g de sucre en poudre
2 c. à s. de fécule de maïs
1 jaune d'œuf
2 blancs d'œufs
1 c. à c. de sucre roux

- Mélangez le zeste et le jus de citron, 75 g de sucre en poudre et 150 ml d'eau dans une petite casserole, puis portez à ébullition. Pendant ce temps, délayez la fécule de maïs avec 3 cuillerées à soupe d'eau dans un saladier résistant à la chaleur, puis versez le liquide bouillant, en mélangeant bien jusqu'à épaississement. Incorporez le jaune d'œuf. Remettez le tout dans la casserole et, sans cesser de remuer, poursuivez la cuisson 1 minute jusqu'à épaississement. Répartissez la crème dans 4 ramequins.

- Montez les blancs d'œufs en neige dans un saladier graissé. Incorporez le reste du sucre en poudre, 1 cuillerée à soupe à la fois, en fouettant bien à chaque fois, jusqu'à obtention d'une meringue lisse et brillante.

- Avec une cuillère, déposez la meringue sur la crème au citron, puis saupoudrez de sucre roux. Déposez les ramequins sur une plaque de cuisson et faites griller 1 à 2 minutes sous le gril du four préchauffé ; le dessus doit être légèrement doré et raffermi. Servez chaud.

10 MINUTES

Vacherin minute citronné

Concassez grossièrement 8 meringues moyennes et mettez-les dans un saladier. Fouettez 300 ml de crème fraîche épaisse jusqu'à épaississement et incorporez-la à la meringue, puis ajoutez 200 g de fraises, équeutées et coupées en deux, et 1 c. à c. de zeste de citron râpé. Servez dans des coupes et décorez de brins de menthe.

20 MINUTES

Gâteaux à la crème au citron

Dans un robot, mixez bien 125 g de beurre ramolli, 125 g de sucre en poudre, 125 g de farine avec levure incorporée, 2 œufs battus et le zeste râpé de 1 citron. Déposez 1 c. à s. de crème au citron du commerce au fond de 4 ramequins graissés. Ajoutez la pâte à gâteau et couvrez de film alimentaire. Faites cuire les gâteaux 1 par 1 au micro-ondes pendant 1 minute 30, jusqu'à ce qu'ils soient bien cuits et gonflés. Laissez reposer 1 minute et servez avec de la glace à la vanille.

 **MINUTES**

Bananes au caramel

Pour 4 personnes

25 g de beurre

50 g de sucre roux

4 bananes pelées

8 c. à s. de crème fraîche épaisse

glace à la vanille pour servir

- Faites fondre le beurre dans une grande poêle à fond épais, ajoutez le sucre et faites chauffer à feu modéré jusqu'à ce qu'il soit dissous et que le beurre mousse.

- Coupez les bananes en deux dans la longueur, puis recoupez chaque moitié en deux dans l'autre sens. Ajoutez les bananes dans la poêle et faites-les revenir 3 à 4 minutes à feu moyen, en les remuant et en les retournant 1 ou 2 fois. Retirez-les avec une spatule et servez-les sur 4 assiettes à dessert chaudes.

- Ajoutez la crème dans la poêle et mélangez bien le tout avec une cuillère en bois. Arrosez les bananes de sauce et servez avec des boules de glace à la vanille.

20 MINUTES

Crêpes banane-rhum-raisins

Préparez 150 g de préparation à crêpes selon les instructions de l'emballage. Faites fondre 25 g de beurre dans une poêle, ajoutez 50 g de sucre roux et faites chauffer le tout jusqu'à ce que le sucre soit dissous et que le beurre mousse. Coupez 4 bananes pelées en deux dans la longueur, puis coupez chaque moitié en deux dans l'autre sens. Faites cuire les bananes dans la poêle 2 à 3 minutes à feu moyen, en les retournant 1 ou 2 fois. Ajoutez 4 c. à s. de raisins secs, laissez cuire 1 minute, puis ajoutez 2 c. à s. de rhum brun et faites flamber. Retirez du feu et laissez la flamme s'éteindre. Faites chauffer une poêle légèrement beurrée de 23 cm de diamètre et faites cuire 4 grosses crêpes à feu assez vif, 30 secondes à 1 minute de chaque côté. Garnissez les crêpes de bananes. Servez chaud, avec de la glace.

30 MINUTES

Bananes chaudes au chocolat et au miel Déposez 4 bananes bien mûres non pelées dans un plat à rôtir et faites-les cuire 20 minutes au four préchauffé à 200 °C, jusqu'à ce qu'elles soient grillées et molles. Fendez leur peau et arrosez de miel liquide. Décorez de 50 g de chocolat noir concassé et servez avec de la crème fraîche ou de la glace.

Tiramisu aux fraises

Pour 4 à 6 personnes

150 ml de café fort refroidi
75 g de sucre roux
4 c. à s. de liqueur de café
100 g de biscuits à la cuillère
cassés en deux
300 ml de crème anglaise
250 g de mascarpone
1 c. à c. d'extrait de vanille
125 g de chocolat noir
de dégustation concassé
125 g de fraises équeutées
et émincées
cacao en poudre

· Mélangez le café, le sucre et la liqueur dans un saladier. Ajoutez les biscuits à la cuillère et mélangez-les délicatement au café pour bien les imbiber, puis déposez-les dans un plat à gratin et retirez l'excès de liquide avec une cuillère.

· Battez la crème anglaise, le mascarpone et l'extrait de vanille dans un autre saladier, puis versez la moitié de cette crème sur les biscuits à la cuillère et lissez la surface. Ajoutez la moitié des morceaux de chocolat puis les fraises.

· Ajoutez ensuite le reste de la crème et lissez bien la surface. Décorez du reste du chocolat et de cacao en poudre. Placez au réfrigérateur jusqu'au moment de servir.

10 MINUTES

Tiramisus à la crème de whisky Déposez 8 biscuits à la cuillère cassés en deux dans 4 ramequins en verre et imbibez-les de café froid. Dans chaque ramequin, ajoutez 1 c. à s. de crème de whisky, 1 boule de glace à la crème de whisky, 1 c. à s. de crème fouettée puis un peu de chocolat noir râpé. Servez immédiatement.

30 MINUTES

Cheesecake façon tiramisu Mettez 200 g d'amarettis dans un sac en plastique alimentaire et émiettez-les finement avec un rouleau à pâtisserie. Mélangez les miettes avec 50 g de beurre fondu et tassez ce mélange dans un moule à fond amovible de 18 cm de diamètre. Placez au réfrigérateur. Dans un saladier, faites dissoudre 1 c. à s. de café instantané dans 4 c. à s. d'eau bouillante et 2 c. à s. de cognac. Plongez 10 biscuits à la cuillère dans le saladier et réservez. Battez 500 g de mascarpone et 40 g de sucre glace, et étalez la moitié de cette crème sur le fond de tarte. Garnissez de biscuits à la cuillère puis du reste du mascarpone. Mettez au réfrigérateur. Saupoudrez de cacao et servez avec des fruits rouges.

Index

Les numéros de pages en *italique*
renvoient aux photos.

Mesures liquides

Système impérial	Système métrique
¼ tasse	65 ml
⅓ tasse	85 ml
½ tasse	125 ml
¾ tasse	190 ml
1 tasse	250 ml

Chaleurs du four

Degrés F	Degrés C
250 °F	120 °C
300 °F	150 °C
350 °F	180 °C
400 °F	200 °C
450 °F	230 °C

Mesures d'aliments secs

Farine	1 tasse = 115 g
Sucre	1 tasse = 225 g
Cassonade	1 tasse = 200 g
Beurre	1 tasse = 225 g
Riz	1 tasse = 210 g

Les cuillerées à soupe et à café utilisées
dans nos recettes correspondent aux
volumes suivants :
1 c. à s. = 15 ml
1 c. à c. = 5 ml

Remerciements

Recettes : Emma Jane Frost
Édition : Eleanor Maxfield
Responsable éditorial : Sybella Stephens
Préparation de copie : Jo Richardson
Directeur artistique : Mark Kan
Maquette : www.gradedesign.com
Photographies : Stephen Conroy
Contrôle de gestion : Emma Jane Frost
Stylisme : Isabel De Cordova
Fabrication : Peter Hunt

ISBN : 978-2-501-07728-6
Dépôt légal : avril 2012
41.1784.2/01
Achevé d'imprimer en Chine par Toppan